소소(昭昭), 굿맘자리, 그로우마마, 느린마음

추억, 꿈, 사랑
그리고 **행복**

소소(昭昭), 굿맘자리, 그로우마마, 느린마음

추억, 꿈, 사랑 그리고 행복

추억,꿈,사랑 그리고 행복(위드북스클럽)

발 행 | 2023년 12월 19일
저 자 | 소소(昭昭),굿맘자리,그로우마마,느린마음
펴낸이 | 한건희
펴낸곳 | 주식회사 부크크
출판사등록 | 2014.07.15.(제2014-16호)
주 소 | 서울특별시 금천구 가산디지털1로 119 SK트윈타워 A동 305호
전 화 | 1670-8316
이메일 | info@bookk.co.kr

ISBN | 979-11-410-6108-1

www.bookk.co.kr

위드북스클럽

추억, 꿈
사랑

그리고

행복

소소(昭昭), 굿맘자리
그로우마마, 느린마음

CONTENT

프롤로그

프롤로그

우리는 끊임없이 정신적인 정체성을 찾아갑니다.
타인을 바라보는 내 눈빛에서 찾을 수도 있습니다.
나보다 능력 있는 사람을 보며 부러움과 시기 질투를
합니다. 바로 투사입니다.
요리를 잘하는 사람, 지구 환경보호에 앞장서는 사람,
경제 지식이 해박한 사람이 부럽습니다.
타인에게 비친 이러한 얼굴들은 내가 살면서
잃어버린 또 하나의 정체성이며 존엄입니다.

느린마음님의 정갈한 요리를 보며 굿맘자리님의
지구환경을 위해 자원 낭비하지 않는 모습을 보며
정체성을 찾아갑니다.
그로우마마님의 해박한 경제 지식의 부러움은
부의 가치를 깨닫게 하고 자본주의 속에 살아가는
나의 존엄을 잃지 않게 만들었습니다.

나만의 재능을 찾는 건 내 안에서만 찾는 게 아닌
낯선 타인에게서도 찾을 수 있습니다
우리들 이야기, 네 사람의 이야기를 담았습니다.

-책읽는소소-

행복

소소(昭昭)

네이버 인문도서 인플루언서 책읽는소소입니다.
글쓰기를 하면서 나를 알아가고 마음의 평안을 찾으니
행복은 매일 찰나의 순간마다 만나는 감정이었어요.

| 글을 쓰는 이유

하루하루가 숨을 쉴 수 없을 정도로 힘들고 버거운 날들이
연속이었다.
내가 숨을 쉴 수 있는 공간은 오직 차 안이다.
나아지지 않은 일상과 불안한 미래를 누구에게 터놓고 말
을 할 수 없을 땐 기록을 한다.

"힘들다"

이 한마디를 쓰고 나면 눈물이 하염없이 흘러내린다. 그러
면 차창이 비가 내려 깨끗해지듯 내 마음의 먼지 또한 정

화되는 기분이었다.

그렇게 난 기록하기를 시작했다.

누구에게도 말할 수 없을 때 나만의 일기장을 펼쳐서 그날 감정을 써보고 들여다보았다.

책 읽기는 좋아하는 일이고 위로 받고 앉아서도 여행을 떠날 수 있게 해 준다.

하지만 글쓰기는 내 마음을 내어 주고 책 읽는 시간을 빼서 기부를 해도 쉽게 친해지기 어려운 친구이다.

글쓰기는 어려운 일이다.

그런데 왜 글쓰기를 나는 하는 걸까?

쓰기는 다양하다.

추억이 희미해져 가는 필름들을 선명하게 하는 기록이 있고 일상을 기록하는 일기가 있다. 그리고 책을 읽고 느낀 점을 쓰고 좋아하는 장소에 가서 함께 했던 추억들도 기록한다. 하지만 글쓰기는 기록용만 있는 게 아니다.

내 인생의 터닝포인트가 되었던 카를 융의 자서전(기억 꿈 사상)을 읽으면서 나에게 글쓰기는 큰 변화를 가져왔다.

자서전을 읽으며 스스로 치유하는 글을 쓰고 있었다.

초등학교 입학 전의 부끄러움이 많은 나에게 "괜찮아 네가 잘못한 게 아니야 너를 이해하지 못한 어른이 잘못이었어."

20대, 30대, 40대 이렇게 내 인생의 변곡점이 되었던 정거장으로 나를 데리고 갔다. 그때 선택을 객관화하여 바라보게 되었다. 글쓰기는 나와의 데이트였다.

기록하기 위한 글, 일상을 쓰는 일기, 치유하는 글, 책 읽고 리뷰, 주제를 가지고 쓰는 글쓰기 등 다양하다.
이런 글쓰기들은 나를 입체적으로 만들어주었다.
나를 만나는 일이고 무의식의 거인을 깨워 재능을 찾아내는 일이었다.
의식의 흐름대로 쓰는 글은 숲을 바라보는 일이라고 한다면 주제를 가지고 쓰는 글은 숲의 아름다움만 보는 일이 아닌 직접 들어가 관찰하며 아름다움을 느끼는 일이다.

책은 내 삶의 해상도를 높이는 일이었다면
글쓰기는 삶을 유영할 수 있는 방법을 알려주었다.
중년을 거슬러 가고 있는 나이다.
주변 친구들에게서 자주 듣는 말이다.
"외롭다 공허하다."
몸이 아프니까 우울할 수도 있다
젊은 날의 바빴던 일상에서 갑자기 생긴 시간을 어떻게 써야 할지 몰라 오는 공허일 수도 있다.
그런 친구들에게 글쓰기를 권하고 싶다.

녹록치 않았던 인생을 살아오면서 모든 걸 내어주고 그루터기만 남아 있는 마음의 여백 같은 시간을 나를 찾아가는 여정의 시간을 가져 보자고.

|네 이웃의 식탁

"언니, 나 이혼해야 할까?"

그녀는 남편의 와이셔츠 빨래를 하려는 순간 다른 여자의 립스틱이 묻어있는 걸 보았다.
야속하고 속상한 마음을 달래려 하지만 눈에서는 눈물이 하염없이 흘러내린다.
"왜? 이제 돌 지난 아이와 뱃속에 있는 아이는 어떻게 할 건데?"
울고 있는 그녀를 달랜다. 현실을 직시하고 현명한 판단을 하라고 위로한다.

그녀는 호매한 성격에 아량이 깊다.
그녀들은 한 지붕 같은 층에 살고 있다.

그녀들이 사는 동네에 18개월 된 아이가 말을 하면서 한글을 읽는다는 소문을 듣고 천재가 태어났다며 구경을 갔다.
아이를 키운 엄마는 작은 체구에 여리 여리하게 생겼다. 정말 18개월 된 아이가 정확한 발음도 못하면서 책을 혼자 넘기며 한 문장씩 읽는다.
그 뒤 그녀들은 본인의 아이들도 한글을 가르치기 시작한다. 그녀는 36개월이 되어 쓰고 읽고 하는 큰딸이 기특하고 내 아이도 천재였구나 하며 키운다.

한동네에서 한 지붕 두 가족이 두 지붕 네 가족이 되어 여름이면 마당에서 아이들은 물놀이를 하고 방안에서는 열무김치에 국수를 비벼 먹었다.
육아로 힘들었던 피로를 수다로 해결한다.
남편의 뒷 담화에 시금치들(시댁식구)은 입가심으로 올라온다.
아이들 교육을 위해 이웃사촌이라는 계를 만들었고 돌아가며 책을 전집으로 구매하고 아이들이 자라면 모인 돈으로 반지와 팔찌도 하고 친자매들처럼 지냈다. 남편들의 직장 이동과 사업으로 뿔뿔이 흩어졌지만 그녀들의 모임은 계속되었다.

4월 1일 만우절, 그녀는 한 친구의 연락을 받는다.
남편이 계단 난간에 쓰러져서 수술실에 들어간다고 그 뒤 친구의 남편은 10년여를 누워서 지냈다. 3년 전 돌아가셨다.

녹록치 않은 살림에 아이들을 부모님께 맡기고 가게를 한 호매한 그녀는 둘째 아이가 자폐증을 앓고 있다는 사실을 뒤늦게 알고 가게를 그만둔다.
지금 그 아들은 군대도 다녀오고 대학원 진학을 해서 목사의 꿈을 꾸고 있다.
18개월에 말을 하고 글을 읽었던 아이는 예쁜 숙녀로 자라 공무원이 되어 열심히 일을 하고 있다.
외유내강이었던 그녀는 세 아이를 아주 잘 키웠다.
치매에 걸린 친정엄마를 직접 간호까지 했다.
하지만 그녀는 유방암이라는 진단을 받는다.
지금은 건강을 되찾아 가는 중이다.
"행복한 가정은 모두 고만고만하지만, 불행한 가정은 저마다 나름 나름으로 불행하다."
그녀들의 네 이웃 식탁에도 고만고만한 행복이 있었

고 나름 나름의 불행을 가지고 있었다.

난 오늘 직장인의 합법적인 휴일, 연차를 내 그녀들을 만나러 간다.
장정 5시간여의 장거리 운행이겠지만 즐거운 마음으로 드라이브를 즐길 것이다.
열무 비빔국수가 먹고 싶다고, 요리를 잘하는 친구에게 만들어 달라고 해야겠다.

| 인생이란?

인생의 메타포?

인생을 한마디로 정의한다면?

인생이란 무엇일까?

친구들에게 질문을 했다.

다양한 대답을 받지 못했다^^

"인생을 사는 것도 힘든데 너무 어렵게 생각하며 살고 싶지 않아 그냥 살아."

인생은 촛불, 사계절, 흐르는 강물이다.

인생은 책이다. 과거는 다 쓴 것이고 현재는 쓰고 있고 미래는 내가 써야 할 것이다.

누구는 인생은 롤러코스터라고 한다.

나에게 인생이란 불이 꺼진 무대이다.
무대는 아직 밝아 오지 않았다.
나는 그 무대에 서 있는 재투성이 신데렐라이다.
빛이 보이지 않는 곳에서 내 모습은 재투성이가
가득해서 움직임조차도 알아볼 수가 없다.
어둠 속에서 들리는 건 나의 가느다란 숨소리뿐이다.
인생이 나에게 준 고통은 고스란히 내 몫이다
신데렐라는 우리의 모습이다.
재투성이는 트라우마와 콤플렉스이다.
왕자는 내가 좋아하는 사람에게 투사하는 모습 곧 내
가 발견하지 못한 또 다른 나를 말한다.
카를 융은 아니마, 아니무스라고 했다.

진정한 나를 알고 나의 몸에 있는 재까지도 사랑하고
끌어안고 가야 한다. 내안의 아니무스, 아니마인 왕자
를 만나 온전한 나로 살아가는 삶이다.
우리는 왕자를 찾아 나서야 하고 나의 콤플렉스를 알
아야 하고 트라우마는 치유되어야 한다.
그런 일이 재투성이인 나를 사랑하는 일이다.
화려한 드레스와 구두를 만들어 갈 것이다.

내가 진정으로 원하는 게 무언지 깨닫게 되는 날 무
대는 밝아올 것이다.

화려한 드레스와 반짝이는 구두는 어두워진 무대를
밝게 만들어 준다.

| 인생 적성 검사(미혼,기혼,기타)

매일 글쓰기를 하면서 일상이 특별하게 다가오고 있다. 지난주 난 직업 적성 심리 검사를 하면서 내 정체성에 대해 생각해 보았다.

적성검사지는 두 유형이 있었다.

처음 적성검사지에 첫 번째 문제는 기혼이냐 미혼이냐 하는 곳에 체크하는 것이다.

기혼. 미혼(이혼, 사별 등)

기혼과 미혼의 차이가 뭐지?

사전적 의미를 생각하게 되었다.

결혼을 이미 한 사람은 기혼이고 하지 않은 사람이

미혼이 아닌가? 그럼 난 기혼인데...

일단 난 미혼(이혼, 사별)에 체크한다.

그리고 두 번째 검사지에도 똑같은 문제가 나왔다.

이번엔 기혼, 미혼, 기타(이혼, 사별 등)

내 기준에서 분류는 이렇게 세 가지가 맞는 듯 하다

이번엔 기타 란에 체크를 한다.

사회에서 분류하는 기준에 내가 선택한 곳이 적합한 지 불분명하고 애매모호하다는 생각이 들었다

직업 적성 심리 검사에 기혼과 미혼의 분류와 이혼과 사별의 분류가 꼭 필요한 걸까?

내가 사회적 약자가 된 기분이었다.

검사지를 작성한 날은 해가 뜨고 좋은 날이었다.

해 뜨는 날이 모두 좋은 날일 수는 없다.

비 오는 날이 궂은 날이 아닌 나에게는 좋은 날이듯.

결혼은 행복이고 이혼은 불행이라고

하나의 단어로 퉁 쳐 버리는 게 싫다.

해가 뜨는 날이라고 다 좋은 날은 아니다.

해 뜨는 날이지만 따가운 햇살과 자외선이 많은 날도 있다. 면역력이 부족한 난 햇살 알레르기로 한동안 힘들었을 때도 있었다.

결혼이 해 뜨는 날이라면 난 매일 자외선이 가득한 따가운 햇살만 가득한 날이었다.
면역력을 키워준 건 딸 들이었다.
따가운 햇살을 가려주는 양산은 딸 들이었다
그렇게 나는 면역력을 키워 궂은 날들이었지만 좋은 날인 마냥 살았었다.

결혼 중인 사람들의 삶을 들여다보면 모두 행복한 날 좋은 날만 보내고 있는 걸까?
사회에서 분류하는 내 정체성을 굳이 들여 내지 않는다. 하지만 어쩔 수 없이 말을 하게 되는 경우가 있다. 그럴 때 나에게 오는 시선들.
왜 결혼 중임을 중단하고 이혼을 한 사람들은 편견을 가지고 보는 걸까?
가장 무례했던 사람은 가족사진을 보고 하는 말
엄마와 딸들이 끼가 많다는 말이다.
이혼한 사람은 끼가 많은 건가?
행복과 불행의 기준도 불분명한 인생 적성 검사지에 난 불행이라는 분류 속에 있다.
이혼은 불행이 아니다.
일찍 결혼을 하면서 느낀 수치심과 이혼을 하고 나서 바라보는 편견들이 나를 더 견고하고 단단하게 만들었고 평범한 삶을 사는 결혼 중인 사람들보다 타인을 공감하는 능력이 탁월하다.

결혼 중인 사람은 평범하고 그렇지 않은 사람은 안쓰러운 사람, 불행한 사람, 이상한 사람으로 분류하는 사람들은 내면의 성장을 하지 못한 사람으로 난 분류하고 싶다.

| 행복의 출발선

"오늘 왜 이렇게 목소리에 힘이 없어?"
"피곤해요."
"왜? 학원 숙제가 많았어?"
"인생이 힘들어요."
"어떡하니 인생이 힘든 걸 벌써 알아 버렸어^^?"

마지막 타임에 관리하는 아이라 늦은 시간이기도 했
지만 다른 날과 달리 목소리는 물에 흠뻑 젖은 스펀
지를 힘겹게 짜내는 말투였다.
인생이 힘들고 수학이 싫다고 하는 초등 6학년 여자

아이. 무슨 말을 해줘야 할지 순간 당황했다.

그 친구는 알고 있다. 공부가 힘들지만 지금 자신에게 있어 가장 중요한 시기라 힘들다고 포기하면 안되지만 엄마에게 할 수 없는 투정을 나에게 부리고 싶었던 것이다.

"가장 좋아하는 일 네가 행복하다 느끼는 일을 찾아 해봐. 그래야 힘들지 않고 꾸준히 공부할 수 있어"

인생이 힘들다고 말한 아이의 어머님께 어떤 상담 무슨 말을 해줘야 할까?

내 말 한마디에 엄마의 질타와 잔소리를 듣게 되면 어떡하나...

교육에 관심 있는 양육자라면 책 읽기가 중요하다는 것, 아이가 어떤 것을 하면 행복한가는 알고 있다.

하지만 자꾸 망각하게 하는 수학 시험지가 있다 어려운 수학 한 문제가 인생을 힘들게 만들었으면 그 두배 세배 좋아하는 일을 찾아서 에너지를 충전해 주어야 한다.

하루만 살자 하루만 버티어 내보자 하는 날들이 있었다. 평온한 하늘 위로 날아가는 풍선을 잡으려 손을 뻗어 보지만 잡히지 않는다. 어느새 날아가 버린다.

행복을 쫓아가야만 찾을 수 있는 줄 알았다.

그런 날들이 지나고 나니 가장 힘들고 고통스러웠던 날이 행복의 출발선이었다.

행복은 내가 잡아야 하는 풍선이 아닌 내가 부풀린 풍선을 날리며 잔잔한 바람에도 멀리 내 향기를 내는 것이었다.

수학 문제가 어려워 인생이 힘들다 하는 아이가 좋아하는 일을 찾아 마음의 먼지를 털어버리고 행복의 출발선은 본인이라는 걸 깨닫게 되었으면 좋겠다.

| 이해란

"엄마, 나 회사 그만둘래."

작은딸은 신의 직장이라고 하는 공사를 다녔었다.

퇴사하기 전까지 타인의 눈에 자신 모습을 비춰보며 많이 힘들어했다.

자신에게 주어진 일을 모두 끝내느라 야근을 하고 주말이면 일찍 일어나기 힘들어하는 아이가 타지방으로 출장을 가기 위해 서둘러 나가는 모습을 보며 안쓰러웠다.

"일이 그렇게 많아? 다들 야근하는 거야?"

상사들은 정시면 퇴근하는데 딸은 본인 책상에 놓인

서류 보는 일을 힘겨워했다.

일이 있는데도 미루고 퇴근하는 그들을 이해하지 못했다.

똑같은 일을 매일 반복하는 걸 힘겨워했다.

그만둔다는 딸의 말을 듣고 모든 사람들이 겪는 과도기이니 조금만 참아보자는 마음으로 딸과 함께 살사 동호회도 다니기도 하며 좋아하는 일을 찾아주었다.

한동안 살사 동호회 사람들과 함께 축제도 하고 즐기는 듯했는데 몸에 이상이 오기 시작했다.

생리 불순과 갑상선 호르몬 저하증까지 동반하였다.

힘들게 들어간 공사를 그만둔다고 하니 지인들은 이해하지 못했다.

나 또한 그런 타인들처럼 이해란 타인의 안으로 들어가 딸의 내면을 만나 영혼을 들여다보는 일인 줄 알았다. 내가 딸을 모르는 무지에서 이해를 할 수 없었던 것이다. 딸은 창의적이고 책임감이 강한 아이였다. 똑같은 일이 반복되고 일을 마무리하지 않고 퇴근하는 상사들을 보는 일은 힘든 일이었던 것이다.

인생을 사는 데는 타인에게 어떻게 보이는가의 시선보다 자신의 행복이 먼저이다.

이해란, 타인 안으로 들어가
그의 내면과 만나고 영혼을
훤히 들여다보는 일이 아니라
타인의 몸 바깥에 선 자신의 무지를 겸손하게 인정하
고 그 차이를 통렬하게 실감해나가는
과정일지 몰랐다.

잊기 좋은 이름 /김애란

| 책, 너 덕분에

매일 아침 난 너를 만나는 설렘으로 눈을 떠.
오늘은 나에게 어떤 이야기로 미소 짓게 해줄까.
내가 힘들 땐 다독여주고 나보다 힘든 사람들도 있다
는 너의 이야기들 속에서 위로받고
나와 다른 사람은 이해하지 못했던 내가 다른 사람을
인정할 수 있게 해 주었어.
여행을 할 때도 넌 항상 나랑 같이 했어
너랑 함께 하지 못했을 땐
예쁜 풍경을 보면 너와 함께 사진을 찍지 못해서 아
쉬웠어,

다른 사람 앞에선 말을 못 하는 나에게 자신감을 불어넣어 주었고 잃어버린 퍼즐 조각 때문에 끙끙 앓고 있을 때 넌 조용히 다가와서 그림을 그려 주었어.

모든 문제의 답이 꼭 필요하지 않다는 걸 알려주고 수용할 줄 아는 지혜를 알려줬어.

재투성이 내 모습이 싫고 다른 사람들은 아름다운데 나만 왜 이렇게 못났을까 자책하고 힘들어할 때도 넌 내가 그 재투성으로 인해 더 아름다워질 수 있는 방법을 알려줬어.

사랑은 자신을 먼저 들여다보고 예뻐해 주는 거라고 매일 같이 너는 속삭이지.

네가 건네준 다정한 말들은 자존감을 세워주었어.

위로만 받고 사랑만 받은 거 같아.

고마워

책, 너 덕분에 외로움을 성장의 도구로 삼는 지혜를 알게 되었어.

| 경험이 감정을 디자인한다.

책에서 배운 간접경험도 있지만 인생을 살아오면서
다양한 경험을 통해 우리는 감정을 느끼고 배운다.
타인과의 관계 경험으로 느낀 감정들로 내면이 성장
한다.
나는 어떤 경험들로 감정을 디자인했을까?
사춘기 때의 일이다.
나는 여고시절을 병마와 싸우며 지냈다.
어느 날은 현실에서 벗어나고 싶어 가출을 했다.
서울에서 자취하며 직장 생활을 하던 언니를 만났다.
언니는 힘든 직장 생활 속에서도 주말이면 장애인들

이 있는 시설에 가서 봉사를 다녔다.

그날은 처마 끝에 달린 고드름이 30cm는 되는 추운 겨울이었다.

세탁기가 없는 시설은 이불을 커다란 대야에 넣고 발로 밟아가며 빨아야 했다. 내 발은 얼음같이 차가운 물속에서 감각을 잃어갔다.

힘든 빨래를 마친 우리는 장애인들과 함께 게임도 하였다. 내 옆자리에 앉은 언니는 입가에 침을 흘리며 웃고 있었다. 아직도 해맑게 웃는 얼굴이 아련히 떠오른다.

시설의 원장님은 젊고 아름다웠다.

사춘기 가출의 경험으로 봉사의 기쁨과 보람을 알게 되었다.

내 작은 도움으로 인해 타인이 웃는 모습에서 행복감을 느낄 수 있었다.

여행을 하면서 다양한 감정을 만난다.

지난 제주 여행에서 예술의 원천을 경험했다.

그날은 계획한 일정과 시간이 여의치 않았다.

정방폭포를 지나가는 길, 눈에 띄는 건물이 있어 발길을 멈추고 들어가 보았다.

뜻밖의 미술관을 발견한 것이다.

이왈종 화백의 미술관이었다. 화백의 그림은 핑크빛 커다란 나무 위를 유영하듯 날아다니는 물고기들과 새들이 평화로워 보였다.

벽면 한가득 그림을 한참 바라보고 서 있었다.
내가 그림을 좋아하는 이유를 알게 되었다.
그때의 경험으로 느낀 감동은 잊을 수 없다.
모든 그림들이 나에게 감동을 주는 것은 아니다.
특별히 내가 좋아하고 발길을 멈추게 하는 그림은 동심을 불러일으키는 동화 같은 그림이었다.
상실의 경험, 이별의 경험, 사랑의 경험 등으로 우리는 다양한 감정과 만난다. 수치심을 느낄 때도 있고 모멸감을 느낄 때도 있고 슬픔을 경험할 때도 있다. 이런 감정들의 경험으로 티인을 공감할 수 있는 능력이 생긴다.
현재의 슬픔과 고통이 우리를 억누르고 미래를 그릴 수 없는 암담함을 가져올 때도 있지만 변주하는 이런 일상의 감정들로 인해 우리는 새로 디자인된다.

| 글쓰기는 어떻게 삶의 힘이 될까?

내가 인터넷을 공부하기 시작한 계기는 51세 연세에 어머니가 갑작스럽게 돌아가시고 부터였다.

처음 개인 홈페이지에 글을 쓰기 시작하고 인터넷이라는 미지의 세계에서 얼굴도 알지 못하는 사람들의 댓글 하나에 위로를 받았다.

그리고 아버지가 돌아가시고 나의 상실감 극복은 무언가에 몰입을 하는 일이라는 걸 알고 세컨드 블로그를 개설하고 글을 쓰기 시작했다. 두 개의 블로그를 운영하면서 하루하루 시간은 빛의 속도로 흘러갔다.

글쓰기는 상실감을 위로하는 치료제였다.

카를 융의 자서전을 읽으면서 융의 연대기를 따라가며 나의 유아 때부터 현재까지를 쓰기 시작했다.

수치심에 부끄러워하고 낯선 사람에게 두려워하며 떨고 있는 어린 나에게 편지를 쓰는 일이었다.

어릴 때의 감정들을 써 내려갔다. 나도 모르게 조용히 흐르는 눈물은 상흔으로 남아있던 상처에 위로가 되었고 다정한 포옹이 되었다.

몸이 아프면 병원에 가는데 마음이 아프면 참으라고 하는 걸까? 고통이 있을 때나 슬픈 일이 있을 때 참고 견디면 우리 뇌는 손상이 온다.

글쓰기 프로젝트를 하게 된 동기이기도 하다.

새벽 책 읽기와 글쓰기를 하면서 어느 누구도 위로해주지 못했던 나를 돌보게 되니 나를 더 사랑하게 되면서 삶이 행복해졌다.

다른 사람들과 이 기쁨을 함께 하고 싶었다.

글쓰기를 매일 한다고 해서 베스트셀러 작가가 되지는 않는다. 매일 글을 쓰는 기자들이 모두 글을 잘 쓰는 것이 아니듯 하지만 살아내는데 힘이 되어 주었고 나를 단단하게 만들어 주었다.

사랑하는 사람이 시간을 내주지 않으면 우린 토라진

다. 그런데 왜 나와는 만나 주지 않는 걸까

글쓰기는 나와 데이트하는 일이다.

나를 사랑하지 않고 다른 사람이 나를 사랑해 주기를 원하는 건 내가 싫어하는 반찬을 타인에게 주는 것과 같다고 했다.

사는 게 힘이 들 때 누군가에게 털어놓고

이야기할 수 없을 때 종이가 아니어도 된다.

핸드폰 메모장을 열어 "힘들다" 한마디만 써보자

상처와 고통으로 체했던 마음이 눈물과 함께 녹아내리며 무의식의 억압에서 풀려난 나를 발견하게 될 것이다.

| 중년, 너를 위한 처방전

너에게 해주고 싶은 말이 있어.

우리의 뇌는 생물학적 자원을 언제 소비해야 하는지 저축을 해야 하는지 신체 예산을 짜고 있어.

생물학적 요소에는 우리가 잘 알고 있는 도파민,엔돌핀이고 그리고 세로토닌, 옥시토신, 멜라토닌 등이 있어. 이들 자원 중 조금이라도 부족하면 우울감이 오지

우리 뇌는 부정성 편향을 가지고 있어서 긍정적인 말보다 부정적인 말에 더 반응이 빨라

뇌의 본성이 그래.

감사는 뇌의 본성인 부정성을 무너뜨리는 막강한 해독제야. 뇌를 잘 다스려야 스트레스를 이겨낼 수 있어

옥시토신은 좋아하는 사람과 대화하기. 그리고 긴 포옹, 세로토닌은 햇볕 쬐기, 운동, 행복했던 일 떠오르기, 감사하기

네가 싫어하는 마사지는 스트레스 호르몬인 코르티솔을 줄여줘.

그래서 너에게 내가 처방약을 준비 했어^^

1. 잠자기 전 하루 일을 돌아보며 감사 일기를 쓴다.
2. 적어도 일주일에 한 번은 좋아하는 사람과 긴 포옹한다.
3. 도파민 생성에 좋은 장기 계획을 세운다.
4. 혼자 즐길 수 있는 시간을 꼭 갖는다.
햇살이 좋은 날 산책도 좋지만 10분 정도 눈을 감고 명상해도 좋아. 그래 불 멍도 좋지 ㅋ 멍 때리기

인생의 디폴트는 고통이지만 그 고통에 대한 너의 태도가 불행하게 만들어

우울증과 불안감을 느끼는 건 살아있다는 증거이고

지극히 건강한 상태야

다른 사람과 비교하고 미래에 대한 지나친 걱정을 내려놓을 때 불안과 우울은 우리 수호자가 될 수 있어.

행복은 인생의 목표가 아니고 살아가는 동안 얻어지는 감정적 경험이야.

내가 너에게 내려준 처방전 잊지 말고 오늘도 찰나의 순간마다 행복이라는 감정을 경험하는 날이 되길 바라

<참고 도서> 이토록 뜻밖의 뇌과학, 우울할 땐 뇌과학, 마음 출구 있음

| 마스크 걸 파에톤 콤플렉스

주말에 몸이 좋지 않아 책읽기도 집중이 안 되고 넷플릭스를 열었다. 그동안 보지 못했던 영화를 볼까 하다 넷플 1위 드라마 <마스크 걸>을 보았다.

오래전 <미녀는 괴로워>라는 영화와 비슷한 외모로만 평가하는 현대사회에 대한 이야기인가 하는 생각으로 보았다. 하지만 드라마는 생각했던 거 보다 잔인했다.

날씬하고 노래를 잘 부르는 여주는 얼굴이 못생겼다는 이유로 사람들에게 인정을 받지 못한다.
남주 또한 뚱뚱하고 못생겼다고 어릴 때부터 친구들

에게 조롱당한다.

그렇게 두 인물을 조명하며 시작이 된다. 여주 모미를 키운 엄마는 딸이 못생겼다는 이유로 멀리했다. 남주 주오남을 키운 엄마는 남편의 부재 속에서 악착같이 키워냈다.

아들을 잘 키워낸 만큼 주오남의 엄마는 보상을 바란다.

파에톤 콤플렉스는 지나치게 남에게 인정을 받으려하는 욕구이다. 아버지가 없는 녀석이라는 놀림을 받곤 했던 파에톤은 태양의 신이 아버지라는 것을 친구들에게 증명하고 싶었다. 그래서 태양의 신 헬리오스를 만나 태양 마차를 몰아보게 해달라고 한다. 태양마차에 올라탄 피에톤 끝내 죽고 만다.

파에톤 콤플렉스는 남에게 인정받기 위한 자신을 스스로 괴롭히는 도구로 만들어 버린다.

배우자에게 상사에게 부모에게 그리고 사랑하는 사람에게 인정받으려고 자신을 과시하게 되고 심하면 상대를 폄하하게 된다.

마스크 걸 또한 노래와 춤을 잘 추는 자신의 모습을 인정받고 싶어 한다.

인정욕구로 인해 저녁엔 본인의 얼굴을 가릴 수 있는 마스크를 쓰고 살지 못한 삶을 살아간다.
마스크로 가린 얼굴 속에 또 다른 자아를 숨긴 채 늘씬한 몸매와 춤으로 인기 있는 BJ의 삶을 산다.
인정욕구는 타인의 시선에 맞춘 삶을 사는 사람들에게 생기는 결핍에서 일어나는 건 아닐까.
부모에 대한 사랑을 받지 못한 어린 자아는 어른이 되어 그 사랑 결핍의 억압으로 무의식이 성격으로 왜곡되어 돌아온 것이다.

프로이트는 욕망을 억압하면 그 욕망이 사라지는 것이 아니라 반드시 왜곡된 방식으로 돌아온다고 했다.
마스크 걸은 외모만 평가하는 현대사회에 인정받고 싶어 하는 욕구가 강하여 본인의 얼굴의 성형뿐 아니라 자신을 폄하하는 사람을 살인까지 하게 된다.

결핍 욕망의 사슬에서 벗어나려면 타인에게서 사랑받는 대상이 아닌 내가 주체가 되어야 한다.
내가 주체가 되려면 나 자신을 내가 먼저 사랑해야 한다.

| 우리나라 대한민국

한국은 막중한 위기의 순간이 오면 온 나라가 갑자기 일치단결하는 건 IMF 때도 국민의 단결성을 보여 주었다.

우리나라 사람들은 꽃을 좋아하는지는 잘 모르겠으나 노래 부르는 것을 상당히 좋아한다.

음주 가무를 못하는 사람은 한편으로는 소외가 되는 기분이다. 노래를 못하는 사람들은 웃음거리가 되기도 한다. 한국은 취미와 여가활동을 잘 즐기지 못하는 나라인 듯하다. 아직도 혼자서 여행 가방을 들고 비행기를 타면 이상한 눈빛으로 바라보는 이들이 있다.

단결성이 있는 국민이라서 그럴까 지방에서는 타인에 대한 오지랖이 쩐다(부린다)

한국은 교육열이 높은 나라라고 하지만 그건 부의 계급 기준에서 한정된 말인지도 모른다.

빈부의 격차를 줄이기 위해 열심히 일을 하는 워킹맘들은 돈이면 모든 교육이 다 되는지 아는 이들도 있다. 몇 만 원의 돈이면 자신이 케어하지 않는 부분까지 사교육에서 모두 책임저 주기를 바라는 근성을 가지고 있다.

일개 학부모들로 인해 사기업에서는 자신의 자녀가 성적이 떨어진 핑계로 인한 정신적 보상까지 운운하는 진상 부모들이 있다. 교육열이 높은 나라라는 말이 이럴 땐 민망하기까지 하다.

쪽수로 이기는 사회, 돈과 권력 속에 보이지 않는 계급사회, 외모지상주의, 편견으로 인한 수치심을 불러일으키는 사회, 허례허식으로 빈부의 격차를 두는 사회, 언제 어디서 참사로 인한 자녀를 잃을까 안절부절 하는 사회이다.

반면, 부지런한 근성을 가지고 있어 미라클 모닝을

하며 개인의 성장과 진정한 행복을 추구하는 사람들이 있는 나라, 나의 변화가 사회를 변화시킬 수 있는 믿음을 가지고 지구 환경을 위해 책을 읽고 삶을 바꾸려 하는 건강한 일상을 지키려는 사람들이 있다. 직업이 없는 청년들에게 국비교육과 예술인들이 활동을 지원해 주는 복지에 힘을 쓰는 나라이다. 유럽의 웅장하고 화려한 건물들도 멋지지만 한옥의 고즈넉한 기품을 더 좋아한다. 이 또한 한국 문화의 집단 무의식에서 오는 정서 일 테지만 한국인만이 느낄 수 있는 편안함이다.

진상 부모는 소수이다. 목소리만 들어도 건강을 걱정해 주는 학부모가 있는가 하면 스승의 날 감사의 표현을 하기 위해 법인 폰에 쿠폰 링크를 보내는 학부모도 있다. 정이 많은 나라이다.

| 너른 빈터에서 발견한 달팽이

존재하는 모든 것들이 나를 느끼게 하는 건 아니다
있는데 보지 못하는 것들도 있다.
매 순간을 똑같은 공기를 마시고 숨을 쉬지만 어느
날, 갑자기 눈에 들어오는 것이 있고 놓쳐버리는 순
간들이 있다.
나는 무엇을 놓치고 사는 걸까.
시간의 그림자까지도 놓치고 싶지 않을 때가 있다.
유한한 시간 속에 살기에 고통보다는 행복을 원하고
아주 작은 기쁨을 발견하고 싶은 지도 모르겠다.
진정으로 내가 행복을 느끼고 기쁨을 느끼는 순간은

아주 짧은 시간이고 아주 사소한 감정에서 온다.
작은 기쁨이라도 행복의 질량은 크다.
찰나의 순간마다 만나 하루라는 봉지 안에 담고 방부제를 넣어 유통기한이 없는 행복을 봉해 넣는다.

오늘은 어제와 다른 길을 걸어가 본다.
천천히 오르막을 오른다.
자연스레 고개를 숙여 운동화 속 발가락의 움직임을 바라본다. 발걸음을 옮길 때마다 시선이 따라간다.
언덕을 가로질러 가는 아주 작은 달팽이 하나를 발견한다.

어디로 가는 걸까?
멀고 먼 달팽이의 길을 따라가 본다.
느린 몸짓이 한없이 지루하다.
그 순간 나를 돌아본다. 가파른 길을 뛰며 숨 가쁘게 뛰어올라 가려고 재촉하며 살지는 않았을까?
내가 놓쳐 버린 건 없을까?
잃어버린 건 없을까?
너른 빈터를 바라보는 여유를 느끼지 못하고
채우려고만 하는 마음이 느리게 가는 달팽이가 지루하게 느껴지는 건 아닐까?

조지 오웰은 자기 삶에서 단순함의 너른 빈터를 충분히 남겨두어야만 인간 일 수 있다고 했다.

단순함의 너른 빈터는 생각을 불러오고 창의적인 상상을 만들어 내 안에 있는 잠재력을 발견하게 하는 일일 것이다.

느릿느릿 움직이는 달팽이에겐 아직도 너른 빈터가 많이 남아 있다.

관망하는 자세로 다시 달팽이에게 눈을 돌려본다.

추억

굿맘자리

함께 사는 지구에서 행복을 찾아가는 굿맘자리입니다.
글쓰기를 통해 미처 돌보지 못했던 저의 마음을 들여다
보고 보듬어 줄 수 있었습니다. 추억은 돌봄입니다.

| 내가 생각하는 가치 있는 삶

가치 있는 삶이란 주제를 듣는 순간 함께 떠오른 단어는 희생이었다.

아마 나도 모르게 내 무의식 속에 가치와 희생은 거의 동의어가 되어 있었던 것은 아닌가 하는 생각이 든다.

내가 생각하는 가치 있는 삶은 남을 위해 희생하는 삶이라 여긴다.

가까운 주위에서 그런 삶을 사는 분들을 보면 가장 먼저 부모들이 아닌가 싶다. 그들은 본인의 자식을 위해 자기 삶 자체를 희생한다.

그것이 한정 자기 자식에게만 치우쳐 문제가 되는 경우도 종종 있지만 대다수 부모는 그렇지 않기에 먼저 부모들의 삶이 가장 가치 있는 삶으로 여겨진다. 그리고 타인을 위해 자신을 내던지는 삶을 사는 분들이 있다.

큰 사고 현장에서 위험을 감수하고 뛰어들어 다른 사람을 살리는 분들.

나에게 같은 상황이 주어졌을 때 일각의 망설임도 없이 과연 그렇게 할 수 있을까 하는 마음이 든다.

내 기억 속에 가장 크게 자리를 잡았던 삼풍백화점 사고, 그때 무너진 건물 속에서 생존자를 찾아 나선 수많은 영웅의 모습은 지금도 기억이 생생하다.

어디 그뿐이랴!

태안 기름 유출 사고 때도 수많은 사람이 현장으로 가서 바위에 묻은 기름을 닦던 일,

수재로 낙담하고 있는 주민들을 찾아가 돕는 손길, 지나가던 차가 사람을 치었을 때 주위에 있던 사람들이 모여들어 차를 들고 사람을 구해 내는 일, 운반하던 물품이 도로에 떨어졌을 때 수많은 사람이 모여 치우고 청소까지 말끔하게 하던 일들.

너무나도 내 기억 속에는 아름다운 장면들이 많이 남아 있다. 이러한 분들이 진정한 위인들이 아닌가 싶다. 누군가 시켜서가 아닌 스스로 앞장서서 남을 돕는 마음을 가진 분들!

아울러 남들이 나서기 귀찮고 꺼리는 일에 나서서 목소리를 내는 분들의 삶 또한 가치 있다고 여긴다.

요즘 같은 기후 위기 시대에 자신만을 위한 목소리가 아닌 인류 전체를 대변하여 삶의 습관을 바꿔야 한다, 정책을 바꿔야 한다고 쓴 소리를 내어 다수의 미움을 받는 그들의 삶은 정말로 가치 있다고 생각한다.
남들이 유별나다고 뭘 저렇게까지 하냐고 하는 손가락질과 부정적인 말에도 본인의 생각을 꿋꿋하게 내는 그분들에게 박수를 보내고 싶다.

나 또한 그러한 삶을 살아가려 노력하지만, 그 의지가 단단하지 않아 더욱 큰 목소리를 못 내고 있다. 남들의 말에 손가락질, 쓴 소리에도 모두를 위한 대의를 관철하고 전하려고 노력하는 그런 가치 있는 삶을 살고 싶다.

| 나의 레몬에이드

레몬을 무척이나 좋아하는 나.

이 말만 해도 듣는 사람들은 벌써 침이 고인다며 인상부터 찡그린다.

신맛에 난 특화가 되어 있나 싶다.

지나영 선생님의 강의를 들으며 레몬이 안 좋은 일이란 말에 쉽게 동의가 되지 않았지만, 강의 끝에 가서는 고개가 끄덕여졌다.

조용히 나에게 온 레몬이 무엇이 있나 생각해 보았다.

시디신 레몬....

내 인생을 다 되짚어 봐도 큰 사건 사고 없는 그저 그런 날들이었다.
최근의 일이 떠오르기 전까지는!

나의 레몬은 엄마의 큰 병 치매이다.
그저 드라마의 소재로만 쓰이는 것인 줄, 다른 사람들만의 일인 줄 알았던 병이 내가 가장 사랑하는 엄마에게 왔다.
나에게는 한없이 관대하고 따뜻했던 엄마의 모습은 사라졌다.
이젠 전화를 통해 들려오는 엄마의 목소리와 말투로 난 엄마의 그날 감정 기상상태를 살펴야 한다.
매일 전화로 약은 드셨는지 지난밤엔 잘 주무셨는지 확인하는 것으로 딸로서의 일과가 시작된다.

그 쓰디쓴 레몬이 나의 레몬에이드가 되었다.
좀처럼 누구에게 전화하는 것이 익숙하지 않은 내가 어쩌다 전화를 드리면 엄마는 "아이고, 해가 서쪽에서 뜨겠네~"하시거나
"따님 목소리 잊을 것 같아 전화 드려요"하며 먼저 전화로 안부를 묻곤 하셨다.

그런 엄마의 휴대 전화번호는 이제 수신 번호가 아닌 발신 번호 목록에만 있다.

좀처럼 먼저 전화하는 일이 없어졌다.

이젠 그 역할은 나의 몫이 되었다.

예전보다 자주 엄마와 통화를 하며 하루하루 엄마의 목소리를 녹음한다.

언젠가 그리울 그날을 위해.

휴대전화 저장 장치가 가득하지만, 그 목록은 지울 수가 없다.

엄마와의 통화는 이제 나의 레몬에이드가 되어 더 친밀해지고 하루하루 쌓아지는 돌탑이 되어 가고 있다.

"엄마 잘 다녀오세요."

"어딜 가는데?"

"센터 가시는 날입니다."

"아니야 안 가는 날이야."

이젠 의미 없는 실갱이를 하지 않는다.

"그렇군요. 알겠어요. 사랑 합니다"

"나도 사랑합니다."

우리의 통화는 매일 이 대화가 계속된다.

엄마가 사랑한다고 답하는 날은 맑음인 날이다.

흐린 날은 아무 대답 없이 가만히 계신다.

이런 대화의 반복이지만 그동안 엄마께 자주 연락을 못 드렸던 나의 지난날을 반성하며 오늘도 엄마의 전화번호를 누른다.

"엄마? 둘째 딸입니다."

┃새로운 경험

새로움을 좋아하는 나.

같은 일의 반복을 싫어하여 한때 자기계발서들이 얘기하는 꾸준함의 허들에 걸려 주저하였던 적이 많았다.

'난 왜 꾸준히 한 가지를 못 하는 걸까?'하는 자괴감에 빠져 나 자신을 스스로 비난 한 적도 있었다.

내 머리엔 항상 새로운 일에 대한 아이디어가 넘쳐났고 그것을 실행하고 싶어 잠도 못 이룰 만큼 열정적이었다.

그렇지만 현실은 나에게 늘 반복을 요구하고 교육 현

장에서도 꾸준하게 하라고 가르쳤다.

그 덕에 새로움을 갈망하는 욕망은 많이 사라졌다.

오십이 넘어서며 그 욕망에 다시 불이 들어오기 시작했다.

남들이 얘기하는 '다 늦은 나이에 편하게 살지'

' 무슨 부귀영화를 누리겠다고'

하는 이야기들이 나를 침범하지 못했던 코로나 시기.

나만의 공간에서 자유롭던 그때 난 새로운 경험을 오롯이 혼자 맛봤다.

새로움을 늘 좋아하던 나였기에 가능했던 일들이다.

난 무엇인가 조금이라도 변한 것을 잘 알아차리는 세심함이 있다.

늘 손에 들고 있는 휴대전화의 작은 새로운 변화들도 금방 눈에 들어와 어떻게 바뀌었는지 따라 해 보고 신기한 것은 남들에게 알려주는 일을 좋아했기에 관심 있는 디지털 공부를 할 수 있었다.

디지털 튜터라는 생소한 직업에 도전하여 자격을 취득하고 현장에서 가르치는 일을 하게 되었다.

배우는 분들에게 재미있다는 소리를 들으면 난 더욱 신이 나서 일을 하게 된다.

누군가에게 새로운 것을 전달하고 좋아하는 모습을 보는 일은 새롭고 신나는 경험이다.

디지털 분야는 늘 새롭게 변하기 때문에 나와 잘 맞는다.

몇 년 전만 해도 나의 일상에 없던 수업 자료 준비와 강의 이러한 새로운 경험은 나의 머리와 마음을 설레게 한다.
그런 설렘을 좋아하기에 난 늘 새로움을 찾아다니고 도전하는가 싶다.
최근에도 조금은 벅찬 새로운 일에 덜컥 지원을 하고 합격하였다.
합격이 끝이 아닌 시작이어서 스트레스도 받고 있지만 이것 또한 새로움을 좋아하는 대가로 여긴다.
오늘도 난 또 어떤 새로움의 경험이 있을지 모를 그곳으로 간다.

| 편견

많은 사람의 행동에 대한 편견을 갖지 않으려 노력하며 살고 있다.

그런데도 불쑥 나도 모르게 말과 표정으로 편견을 여실히 드러내는 것이 있다.

바로 동·성·애!

환경에 관심을 가지고 지내며 인권과 모든 사람의 행복 결정권에 대해 꽤 깊이 이해하고 받아들이고 있다고 생각 했다. 그런데 이 부분은 쉽게 생각을 내려놓기 힘들다.

왜 그럴까? 곰곰이 생각해 봐도 뭐 뾰족한 이유를 가

지고 있지 않다.

그냥…. 그냥 싫다. 받아들이고 싶지 않고 인정이 안 된다.

주위에 교류하는 사람들 대다수가 나와 같이 생각하고 있어서인지 이것이 잘못된 생각이거나 그들에게 상처를 주고 있는 줄은 전혀 깨닫지 못했다.

뉴스에 동성애자들의 결혼 이야기나 퀴어 축제 같은 이야기를 들으며 그저 딴 세상 이야기로만 생각하고 전혀 내 머리엔 있지도 않은 채 지냈는지도 모른다. 또한 가까이에 그들을 접할 수 없기에, 인간의 측은지심으로 그들을 바라보고 표면적으로만 나의 이해의 공간을 내어 주는 정도였다.

그러다 독서 모임 토론 도서로 지정된 [딸에 대하여]를 읽고 이 편협한 생각이 얼마나 많은 오류를 가졌는지 조금이나마 알게 되었다.

소설 속 딸의 동성애를 인정하지 못하는 엄마의 모습을 보며 나도 같은 모습을 취하지 않을까 하는 생각이 들었다. 다른 사람이 동성애자 가족을 두었다고 하면 '뭐 할 수 없지…. 어쩌겠어….' 그런 정도로 생각하겠지만 정작 내 가족, 내 아이가 그렇다면! 상상조차도 할 수 없는 이야기다.

이런 뿌리 깊은 편견이 있다는 것이 쉽게 인정이 안

된다.

사전을 뒤져보니 편견의 유의어는 존재해도 편견의 반대말은 없다.

누가 누구를 인정하고 이해할 수 있을까 하는 생각에 다다르자 잘난 오만이 맘에 거슬렸다.

최근에 새로 알게 되어 한번 만난 사람이 있다. 그녀가 동성애자인 것을 안 순간 이렇게 멋진 여성이 성소수자라는 것을 안타깝게 생각하는 색안경을 끼고 바라보고 있었다. 얼마나 부끄러운 일인지.

성소수자에 대한 편견은 완전 박살이 나야 한다.

쉽게 되지는 않겠지만 나는 그들을 편협된 사고 없이 받아들이는 데 노력을 할 것이다.

사회가 많이 변화하고 있고 그들의 목소리도 점점 커지고 있으니 곧 그런 날이 올 것이라 생각한다.

| 사진의 의미

"카톡"
며칠 전 세 자매 카톡 방에 사진이 올라왔다.
친정집에 다녀온 막내가 사진첩에 있던 사진 몇 장을
찍어 올렸다.

"우와!"
"연우랑 똑같이 생겼네."
"아! 생각난다. 이날"
"우리 이날 행군했잖아"
"이 녀석 이때도 귀여웠네."
"하하 한 사람만 즐거웠네."

"우리 엄마 아빠 젊으신 거 봐라."
"아주 사랑꾼이시네~"
모처럼 카톡 방이 즐거움이 가득했다.

다들 지나간 그날의 기억에 즐거움만 남았던 것처럼 하하 호호 즐거웠다.
사진 속 한 장은 정말 힘든 날, 다들 화가 났던 날의 사진이었는데 세월이 20년 흐르고 나니 그날도 즐거움으로 바뀌어 있었다.

또한 내 기억 속에 없는 낯선 2장의 부모님 나들이 사진은 이제는 돌아갈 수 없는 두 분의 청춘이 들어있었다.
환하게 두 손 맞잡고 다정하게 유채꽃밭에 서 계신 내 부모님, 두 분에게도 이런 시절이 있었음을 다시 한 번 깨달았다.

사진은 그런 것 같다.
힘들었던 순간도 즐거운 추억으로 남겨주고 내 기억에 사라졌던 그날도 사진으로 인해 다시금 그날로 나를 데려다준다.
그래서 사람들이 남는 것은 사진밖에 없다고 하는가 싶다.

물론 사진을 보면 즐겁지만 않은 사진도 있다.
그렇지만 그것 또한 그때만큼의 감정을 남기지는 않는 것 같다.

아울러 즐거웠을 그날을 기억하려 찍어 두었던 사진도 세월이 흐른 후 누군가에겐 슬픔과 아련함을 남기기도 한다.
보고 싶은 부모님을 또한 누군가를 지난 사진으로 마주할 수도 있고 잊고 싶은 누군가를 마주할 수도 있다.

사진이 귀했던 예전과 요즘은 의미가 아주 다를 것 같다.
필름으로 찍던 그때는 사진 한 장 찍는 일도 신중을 기했다.
낯선 카메라 앞에 얼은 듯한 부동자세의 모습
한껏 허리를 꺾고 예쁨을 남기고 싶던 소녀의 모습
친구들과 수학여행지에서 남겼던 단체 사진의 모습
이 모든 순간을 허투루 찍지 않은 듯한데 사진이 흔해진 요즘은 카메라 앞에 서는 이들의 모습도 다양하다.

태어난 지 얼마 안 된 아가들도 카메라 앞에서 자연스러움을 보며 부러울 때도 있다.

나 또한 예전보다야 나아졌지만 아직도 셀카를 자연스럽게 마구 찍어대는 요즘 사람들과는 사뭇 다르다. 내 사진을 보는 것조차도 아직은 자연스럽지 못한 모습을 보며 나에게 있어 아직도 사진은 가까이하기엔 너무 먼 당신으로 다가온다.

|내 인생의 변곡점이 되었던 때는 언제인가?

내 인생에 변곡점이 되었던 때가 몇 번 있었는데 그 중의 가장 큰 것은 아마도 2021년 9월이 아닐까 싶다. 졸업 후 건강상의 문제로 이직을 몇 번 거치다 정착한 곳은 중소기업 무역회사였다.

그곳 대표님의 인품이 매우 좋아 난 어떻게든 이곳에서 뼈를 묻으리라는 마음으로 회사에 다녔다. 물론 같이 일하는 동료들도 좋았지만 가장 큰 것은 오로지 대표님이다.

나에게 새로운 도전 기회를 많이 주셨고, 무엇보다

내 성과에 큰 지지와 격려에 난 워커 홀릭이 되어 가고 있었다.

직장 다니며 결혼도 하고 아이도 둘이나 낳고…. 아이들이 어림에도 불구하고 직장을 그만둘 수가 없었다. 그러다. 김포로 이사를 해야 했고 첫 아이는 3대가 덕을 쌓아야 들어간다는 국립초등학교에서 집 근처 공립초등학교로 전학하여야 했다.

전학으로 인한 스트레스가 심해서일까?
어느 날 아이의 정수리 부근에 오백 원짜리 동전만한 원형탈모가 진행되고 있었다. 그때의 놀라움과 충격은 20년이 다 되어 가는 지금도 생각하면 가슴이 미어진다.그 당시 아이의 상태는 심리 치료를 받아야 했고 나는 회사를 그만두어야 함을 심각하게 고민했다.

결론은 내 아이를 보살피자에 다다랐고 아이의 문제로 사직하는 것은 언제든 사표를 수리하겠다던 대표님은 아쉬움을 뒤로하며 나를 보내주셨다.
직장을 그만두고 집으로 오는 차 안에서 얼마나 울었는지 지금도 그날이 생생하다.
그때 그 대표님은 지금도 연락을 주고받으며 가끔 술잔을 기울이는 좋은 인연으로 남아 있어 그나마 위안이 된다.

회사를 그만두고 아이를 돌보니 아이는 점점 좋아졌고 심리 치료도 잘 끝나 지금은 어엿한 사회인으로 잘 지내고 있다. 그때 나만 생각하고 고집을 부렸다면 어땠을까 하는 생각도 가끔 하지만 잘 내린 결정이라 여긴다.

그렇게 난 경력 단절 전업주부로 새롭게 태어났다. 백수가 과로사 한다더니 직장을 그만두고 전업주부로 사는 나는 더욱 바쁜 시기를 보냈다.

일상 속에서 보내는 하루하루는 바쁘기만 한 그런 시간들. 남는 것 없고 공허함과 의미 없어 보이는 삶이 나를 좀 힘들게 했다.
그러다 우연히 유튜브로 MKTV 책 소개 영상을 시청하였고 북토크 자료를 MKYU대학 홈페이지에서 받을 수 있다는 말에 회원가입을 하였다.
가입만 하고 지내다 어느 날 1,000원만 내면 디지털 튜터 자격증 과정 수업을 들을 수 있고 자격증을 따서 디지털튜터로 제2의 인생을 지낼 수 있다는 말에 덜컥 입학과 동시에 강의 결제하고 공부하였다.

막막하고 의미 없던 삶이 너무나 즐겁고 활기가 생겼다.

코로나 펜데믹으로 집 밖에 나갈 수 없던 때라 처음 온라인으로 사람들을 만나고 같이 공부하는 도반을 만들고, 모든 과정이 매우 신이 났다.
그때 만난 분들은 지금도 좋은 인연으로 남아 있다.

그렇게 자격증을 취득하고 첫 도전, 홈플러스 문화센터 강사 모집에 지원하고 서포터즈로 뽑혀서 2021년 9월 3일 김포점으로 첫 수업을 나갔다.
그때 설레고 벅찼던 감정은 나를 가슴 뛰게 한다.

그 사건이 내 인생의 큰 변곡점이 되어 지금도 난 강사의 삶을 살아가고 있다.
내 인생에 생각지도 못했던 모습이라 지금 생각해도 의아하지만, 인생은 언제든 이 모양 저 모양으로 바뀐다는 것을 깨달았다.

물론 기회가 왔을 때 잡는 사람에게만 주어지지만!

| 나의 첫 기억

나의 첫 기억이라...

나의 기억 속에 또렷하게 남아 있는 어린 시절 기억
중 하나는 동생이 태어나지 않은 거로 봐서는 세, 네
살쯤 된 아주 어릴 때였다.

한때 우리의 감성을 자극했던 응답하라 1988의 동네
모습이 나의 어릴 적 내가 살던 마을의 풍경과 비슷
하다.

단독주택들이 모여 있고 동네 골목에는 솜씨 좋은 우
리 아버지가 만들어 놓은 평상이 있었다. 나무가 썩
지 말라고 장판으로 덮어 놓았던 모습이 떠오른다.

그곳에 저녁을 먹고 나면 삼삼오오 이웃들이 모여 옥

수수도 쪄 가지고 나오고 과일도 가지고 나와서 둘러 앉아 나눠 먹으며 사는 이야기로 즐거운 시간을 보냈다. 아이들은 돌멩이를 주워 공기놀이하고 고무줄놀이도 하며 골목은 아이들과 어른들의 즐거운 말소리와 웃음으로 시끌시끌하였다.

그 일이 있었던 그날도 여느 날과 다르지 않았다.
이른 저녁을 먹고 엄마와 나는 평상에 나와 있었다.
나는 어른들 앞에서 노래와 춤을 추며 한껏 흥을 올리고 있었고 어른들의 칭찬에 기분이 아마 하늘 어디쯤 있었다.
아버지는 저녁 약속이 있으셨는지 약주 한잔을 하시고 좀 늦게 오셨다.
아버지는 동네에서는 점잖은 권 선생이셨다.
말수가 많지는 않으셨으나 한번 이야기를 하시면 얼마나 재밌게 하셨는지 인기가 아주 많았다. 어른들에게 뿐만 아니라 동네아이들과도 잘 놀아주셔서 아이들도 무척 좋아하고 따랐다.

어릴 적 기억 속에 내 친구들이 우리 집에 놀러 오면 별명도 지어주고 고무줄도 잡아주시고 공기놀이도 같이하시곤 하여 친구들이 아빠가 없으면 집으로 돌아가기도 했다.

다시 그날로 돌아가면 약간 얼굴이 붉은 듯 보이는 아버지의 모습을 보고 흥이 미처 사라지지 않은 나는 "꼬라지 좋~~~다!" 하는 말을 뱉어 버렸다.
아마 그 말이 나쁜 말인지도 몰랐을 것이다.
눈치가 빠른 편인 내가 어른에게 하면 안 되는 말인지 알았으면 하지 않았을 테니 말이다.

아버지는 조용히 동네 분들과 인사를 나누시고 집으로 가시며 "셋째야, 들어 와봐." 하시기에 난 평소와 다름없이 즐겁게 아버지 뒤를 따라 집으로 갔다. 방으로 들어가신 아버지의 표정은 너무나 낯설고 무서운 얼굴을 하고 계셨다.

"이리 앉아봐" 시무룩한 나는 평소와 다르게 "네~" 하고 다소곳이 앉았다.
그때 아버지가 이런저런 훈계를 하셨고 내용은 다 기억은 안 나지만 누구에게나 특히 어른에게는 그런 말을 하면 안 된다는 뭐 그런 내용이었던 것 같다.
생전 처음 아버지에게 혼이 난 첫 기억은 서러움으로 남아 있다.

그저 나를 예뻐만 하던 아버지에게 혼이 났으니 그런 감정만 남는 것은 당연하리라. 그 후로 나는 그 말은 안 썼던 것 같다.

지금도 유머를 잃지 않고 손주들의 이야기 할아버지로 기억되는 나의 사랑하는 아버지!
건강하시길 간절히 기도해 본다.

| 관계의 교집합

나와 성향이 매우 다른데 내 옆에 있는 그 사람 바로 남편이다.
연애를 7년이나 했는데 그걸 모르고 있었다는 것이 정말 신기하다.
시쳇말로 콩깍지가 그렇게나 오래 씌어있었나?
우린 식성도, 더위 추위에 대한 느낌도, 공감 포인트도 완전히 다르다.

그렇다면 누군가 연애할 때 자신을 희생하며 맞추어 주었었나?
가만히 생각하면 다름을 모르고 있지는 않았다는 것

을 기억해 냈다.

연애하는 동안 서로가 이해 안 돼 싸우기도 진짜 많이 했었다. 싸우고 화해하고를 반복하며 우린 서로에게 익숙해졌나 싶다.

어쩌면 건드리지 말아야 할 보이지 않는 선을 그어두고 서로 조심하며 지냈는지도 모르겠다.

그것이 결혼이라는 틀 안에서 매일 같이 자고 일어나고 밥을 먹고 하며 선을 툭 넘어와 '우린 너무 안 맞아' 하고 살고 있는 듯 보인다.

이제 중년을 넘어가고 있는 요즘 MBTI라는 것을 통해 이해 안 되던 남편의 모습을 어느 정도 받아들이고 있다. 아! 저 사람은 이런 성향이라 이것이 안 되는구나! 저렇게 밖에 생각 못 하는구나 하며 이제 막 만남을 시작한 사람 마냥 이해의 폭을 넓혀가고 있다.

이런 우리에게도 교집합은 분명히 있다. 어찌 서로 다르기만 하면 살 수 있겠는가!

우린 노을을 무척이나 좋아하며 산보다는 바다를 좋아한다. 노을을 보러 여기저기 시간을 맞추며 다니기도 많이 하고 서로 다른 곳에 있을 땐 멋진 노을 사진을 공유한다.

힘들게 산에 오르고 다시 내려오는 과정을 둘 다 이해가 안 간다고 생각한다.

물론 그렇다고 산을 전혀 안 가는 건 아니지만 우린 오르기 쉽고 내려오기 쉬운 산을 간다.

또 매운 음식을 좋아해 매운 떡볶이도 같이 먹으러 다닌다.

남편과 떡볶이 집을 가면 대다수 여자가 많다. 어쩌다 여친 따라 억지로 온 듯한 남자들이 더러 보이지만 남편은 나보다 더 좋아하기에 함께 즐기기에 너무 좋다.

나는 요리하는 것을 싫어하지만 남편은 즐긴다.

이건 아주 좋은 교집합이라 우기고 싶은 부분이다.

하는 사람 먹는 사람 얼마나 조화로운가.

모던함을 좋아하고, 시끄러운 곳을 싫어한다.

이 또한 취향이 달랐다면 정말 같이 살기에 피곤했을 것 같다.

남편은 나와 참 같고도 다른 사람이다.

너무 다르다고만 생각하며 살았고 서로에게 맞춰주며 살고 있다고 생각한 우리의 삶이 결코 희생이 아닌 서로가 자신을 지키며 잘 살아가고 있다는 생각이 든다.

| 나는 언제 화가 나는가?

나는 언제 화가 나지? 생각을 해봐도 크게 떠오르지 않는 것은 나의 오만이다.

혹시나 하여 아이들에게 물어봤다.
"엄마가 화를 언제 내지? 화를 잘 안 내지?"하는 물음에 의아하다는 표정을 짓는 두 녀석!
"어쭈! 무슨 그런 표정을 지어?"
아이코, 난 벌써 화를 내고 있다.

이런 자잘한 것을 간과하고 난 그저 화가 없는 사람이라 생각하며 살아왔다. 화(火)를 낸다는 것을 그저 뭔가 행동이 크고, 소리가 크고 그런 것만 화라고 스스로 정의하고 있었나 보다. 가만 생각해 보니 난 자잘한 것들에 화가 좀 있는 편이다.

아이들이 버릇없는 행동을 할 때, 내 뜻과 다르게 행동할 때, 내 말을 무시할 때, 듣고도 대답 안 할 때. 등등 이 글을 쓰며 나를 다시 한 번 돌아볼 수 있는 계기가 되었다.

당연한 것으로 생각했던 것들이 상대를 불편하게 했다는 생각이 이제야 들었다. 내 가까이에서 이런저런 자잘한 나의 화를 받아 준 가족과 지인들에게 심심한 사과의 말을 전한다.

내가 진짜 화를 낼 때는 뉴스를 볼 때다. 그리 정치적인 사람이 아님에도 불구하고, (내가 날 잘 모르는지는 모르겠지만 아마도 그럴 것으로 생각하고) 뉴스에서 자신만의 이익을 위해 나쁜 짓을 하는 사람들을 보면 화가 치민다.

특히 나라를 위해, 타인을 위해 봉사하라고 뽑아 준 선출직 사람들이 그와 같은 행동을 하면 더욱 그렇다. 그러면 목소리가 커진다. 목에 핏대를 세우고 열변을 토할 때도 있다.

정치가 바로 서야 나라가 바로 선다고 생각하는 나! 사람들과 정치 얘기를 하다 나와 다른 뜻을 얘기하는 사람들을 상대로 이건 이렇고 저건 저렇고 조목조목 따지고 가르치려 든다.

와! 나 정말 화가 많은 사람이었구나!

그런데 이러한 모습도 세월이 한 해 두 해 가면서 시들해진다. 뭐랄까, 포용력이 생긴 것도 아니고 그들을 이해하는 것은 아닌데 주위 사람들 앞에서는 목소리를 크게 내어 내 생각을 전하려 하진 않는다.
저 사람들은 저렇게 생각할 수도 있겠지, 이유가 있겠지, 그런 마음의 느슨함이 생겼다.
그렇지만 오늘도 난 뉴스를 보며 인사청문회에 나와서 뻔뻔하게 구는 사람을 보고 또 화가 난다.

불치병인가 싶다. 안고 살아가야지~

| 비건에 대하여

나는 비건 주의자는 아니다.
그렇지만 지향하고 있다.
비건이란 어떤 목적을 위해서든 동물성 제품을 사용하지 않는 것, 동물의 고기 또한 동물에서 얻어지는 부산물을 먹지 않고 동물을 소재로 하는 것을 입지 않고 동물을 이용한 장소나 오락, 실험 연구를 하지 않는 것까지를 모두 포함한 개념이다.
그중 비건 하면 우리가 가장 많이 떠올리는 것이 채식주의자다.

환경에 대해 특별히 관심을 두고 있지만 완전 채식주의까지는 실천 못 하고 있다.

현실적인 이유를 핑계로 대지만 딱히 그것만은 아니다. 어렸을 때부터 그다지 고기를 많이 먹지 않았다. 물론 고기가 흔하지 않았던 시대이기도 했지만 고기 냄새가 좋지 않았다.

엄마가 한 번씩 김치찌개에 큼직한 돼지고기를 넣고 보글보글 끓여 내도 난 고기를 걸러내고 먹었다. 지금도 고기를 즐겨 먹지 않기에 굳이 채식주의자일 필요를 못 느낀다.

나로 인해 분위기가 불편해지는 것이 싫어 플렉시테리언으로 채식은 하지만 때때로 육식을 한다. 요즘은 더 육식을 안 하려고 하고 있다. 동물권에 관해 공부하고 자료를 보다 보니 더욱 그렇게 되고 있다.

많은 사람이 비건이라고 하면 제일 먼저 건강을 걱정한다. 단백질은 어떻게 섭취할 것인지 고기를 너무 안 먹으면 기력이 달린다더라 하는 말을 듣는다. 그런 우려에도 별걱정이 들지 않는 것은 식물에서도 얼마든지 단백질 섭취가 가능하기 때문이다. 단백질은 고기보다 콩으로 섭취하는 것을 더 좋아한다. 두부는 언제 먹어도 맛있고 무청 시래기 또한 단백질이 풍부하다.

비건에 대한 많은 사람의 또 다른 생각은 맛이 없을 것 같다. 나 또한 비건식 하면 일단 선입견이 있기도 했다.

지금은 많은 사람이 채식주의를 지향하며 기술도 맛도 아주 훌륭해졌다.

그럼에도 대부분 사람에게 환영받지 못하고 있다. 비건식은 그들만의 리그가 되어 버렸다.

비건 식당이 생겨나고 비건 제품들이 많이 출시되지만, 관심을 두는 사람이 그다지 많지 않은 게 현실이다.

특히 우리나라 사람들은 더 심한듯하다.

비건 주의자를 이상한 사람 보듯 하는 사회.

예전보다야 인식이 많이 변화되었지만, 여전히 별난 나라 별난 사람들로 보는 이들이 많다.

이런 문화가 조금씩 변화되고 환경 활동을 하는 사람들이 더 넓게 활동 영역을 넓혀 가면 그런 인식들도 서서히 바뀔 것으로 생각된다.

다행스럽게 MZ라 불리는 요즘 세대들은 비건 주의자를 별난 사람들로 생각하지 않는 듯 보인다.

모두 각자의 취향을 존중해 주는 문화와 세대가 아주 좋다.

내가 실천할 수 있는 작은 것부터 지구에 함께 사는 동물을 해치지 않는 방법을 찾는 것은 어떨지 조심스럽게 제안해 본다.

| 나는 언제 감동을 느끼는 가

INFP! 나의 MBTI다.

어쩌면 MBTI 신봉자로 보이지만 나도 모르던 나를 조금이라도 이해하게 해주어 난 이것이 좋다. 나는 내향적(I)이며 직관적이고 이상적이다(N). 또한 감정 (F)으로 인간관계를 맺으며 자율적이고 유동성(P)을 가지고 있다. 난 인간 본연에 대한 애정으로 사람들의 장점을 발견하는 그런 사람이라고 정의를 내려준다.

굉장히 자유로운 사고를 가지고 있으며 개인주의 자고 이상주의자 즉 약간의 똘끼를 가지고 있다고 스스로 해석한다.

남들이 감동하고 판단하는 것에 기인하지 않는 극히 주관적인 감정에 빠져든다.

난 수시로 감동하는 사람이다. 뭐? 정말? 이런 말이 나오는 사소한 일에도 감동하니 언제 감동하냐고 묻는 말에 어떻게 대답해야 할지 모르겠다.

아이의 첫 재채기에도 처음 코를 풀던 순간에두 난 감동하였다. 공감 능력이 높다 보니 쉽게 그 사람이 되어 버린다.

얼마 전 교우의 장례미사가 있었을 때의 일이다. 연세가 높으신 아버님이 돌아가셔서 유가족들이 아버님을 추모하며 흐느껴 우는 모습을 보고 나의 눈물은 틀어 놓은 수도꼭지와 같이 멈춰지지 않았다. 정말 난감한 상황인데 어떻게 나도 나를 막을 수가 없었다. 우여곡절 끝에 미사는 끝이 났고 내 주위에 있던 분들은 모두 나에게 아시는 분인지, 관계가 어떻게 되는지 물어 왔다. 생전 처음 뵙는 분이라는 대답에 정말로 나를 이해할 수 없다는 그 눈빛이 지금도 생생하다.

이런 일들은 비일비재하기에 별스럽지도 않다. 이렇게 감정 이입이 빠르고 감동에 취해 있는 나도 깊이 감동하여 언제든 꺼내어 생각해 보면 가슴이 두근거리는 일이 있다.

작은 아들은 큰아이를 낳고 7년 만에 얻었다. 터울이 커 잠시 잊었던 큰 아들을 키우며 느낀 행복한 순간을 다시 작은 아이를 키우며 느낄 수 있었다. 녀석은 날 보고 싱글싱글 잘 웃어 주었고 어디서든 귀여움과 사랑을 많이 받고 자랐다. 아이의 초등 1학년 참관 수업에도 흐뭇하게 아이를 보는 내게 같은 반 엄마가 "걸어만 다녀도 예뻐?" 할 정도로 나의 온 애정은 아이를 향하고 있었다. 하루하루 행복하게 잘 자라주던 아이가 고3 때 사춘기가 왔다.

잘하고 있던 공부를 하지 않겠다고 통보했고 매일 인상을 쓰고 조잘대던 입은 굳게 다물어져 묻는 말에도 대답을 안 했다. 학교에서 급식도 안 먹고 하루 종일 굶는 날이 허다했다. 선생님들조차도 어찌할 바를 몰라 나를 계속 찾았지만 나도 뭐 뾰족한 방법이 떠오르지 않았다.

아이를 믿었기에 그저 묵묵히 놔두고 본인이 하는 대로 지켜봤다. 예전부터 그런 아이였던 것처럼 하루하루가 갔다. 그러던 어느 날 아이가 등교하고 난 후 겉면에 아무 표시가 없는 연둣빛 편지 봉투가 식탁에 놓여있었다. 편지 봉투를 열어 보니 아이의 깨알 같은 손 편지가 들어있었다. 편지에는 그냥 지켜봐 주셔서 감사하다. 자신도 왜 이러는지 모르겠다. 죄송하다. 조금만 더 기다려 달라…는 등등의 글이 적혀 있었다.

편지를 읽으며 눈물 콧물을 쏟았고 지금도 그 편지는 내 보물 상자에 모서두었다.

아이의 마음을 알고 나니 그런 시간을 보내는 것이 예전보다 수월하다. 물론 지금도 예전의 살갑던 아이의 모습을 되찾진 않았지만 언젠가는 돌아오리라 믿는다.

그 편지를 읽던 그날의 감동을 잊지 않으려고 오늘도 난 아이를 보며 되새긴다.

| 친구란, 나무 위에서 바라보는 이

친구! 그러면 바로 떠오르는 녀석이 한 명 있다. 그렇지만 안타깝게도 그 아이와는 연락이 안 된다. 고등학교 1학년 때 같은 반이었던 친구. 키가 작은 순서대로 7번이었던 그 아이는 자그마하고 여리여리한 아이였다. 난 48번으로 앞자리와 뒷자리에 앉은 우리는 가깝게 지내기엔 좀 거리가 있었다. 그런데도 그 아이를 가장 먼저 떠올리는 것은 꽤 우린 잘 통했기 때문이다.

고1~ 정말 한창 나의 활발함이 정점을 찍을 때다. 우리 반뿐만 아니라 전교생과 선생님들까지 내 이름을 모르는 사람이 없을 정도로 난 학교생활을 그야말로

별나게 했다. 사건 사고를 다이내믹하게 터트리고 다녔다. 학교 벽으로 넘어온 옆집 호박을 따서는 친구들과 다음 날 부루스타, 프라이팬, 밀가루 등을 가지고 와서 운동장에서 호박전을 부쳐 먹다 선생님들께 걸려 혼난 일, 야간 자율학습 시간에 몰래 극장에 가서 그 당시 흥행한 더티 댄싱을 몇 번이나 보고 와서 아이들 앞에서 재연해 주어 교무실에 불려 간 일, 치마 입고 널 뛰다 그야말로 뒤로 자빠져 다리가 퉁퉁 부어 담임 선생님에게 호되게 혼나던 일. 친구들의 인생 상담자로 바쁘게 지낸 일 등 많은 일들이 있었다.

이런 나와 반대로 그 친구는 그야말로 공부만 하는 아주 조용한 아이였다. 그 아이와 친해진 것도 필기 노트를 나에게 보여주며 접근한 그 녀석이 있었기에 가능했다. 당시 선머슴 같았던 나를 많은 친구들이 좋아해줬다. 책상에는 꽃이며 초콜릿, 과자 등이 늘 넘쳤다. 나 때문에 울고 싸우고 하던 아이들도 있었으니 가히 나의 전성기라 할 수 있겠다. 그런 내게 조용히 접근하여 나의 마음 한구석에 자리를 잡은 녀석.

집도 방향이 달라 같이 다니기도 힘들었는데 녀석은 꼭 나와 같이 갔던 기억이 있다. 나중에 집 방향이

다른 것을 알고 무지 미안했다. 그 아이는 조용하게 내 옆에서 나를 챙겨주는 그런 친구였다. 조용하고 숫기 없는 아이가 시험 때는 우리 집으로 찾아와 밤을 새워 같이 공부하곤 하였다. 어느새 조용히 나의 생활 안으로 들어온 친구는 서로 집을 오가며 부모님들께서도 우리 둘이 함께 있다고 하면 어느 곳에 있든 인정을 해주셨다. 난 다른 친구 집에서 밤을 세면서도 "00네에 있어요." 하면 만사 오케이였다. 그 애 또한 나와 있다고 하면 통과!

조용하지만 내면이 강한 그런 녀석이 간호대에 가기로 맘먹고 나에게도 같이 가자고 엄청나게 졸라댔다. 난 전혀 생각지도 않았기에 거절하고 우린 다른 방향의 선택으로 우리 관계는 점점 소원해졌다.

결혼 후에도 몇 번 만났지만 어쩌다 연락처를 분실하고 이제는 연락하고 싶어도 연결이 안 된다. 그렇지만 그 아이는 지금 만나도 어제 만난 친구처럼 전혀 낯설지 않게 하하 호호 수다의 꽃이 떠나지 않을 것만 같은 나의 소중한 친구다. 그 아이를 수소문 해봐야겠다.

이 가을 그리움에 떠오르는 나의 친구.

꿈

그로우마마

꿈을 위해 목표를 설정하고 이를 이루기 위해
하루하루 성장하는 그로우마마입니다.
매일 똑같은 일상에서 벗어나 삶의 활력을 불어줄
꿈을 함께 키워보아요

| 나만의 레몬에이드

각자의 인생에는 다양한 레몬이 생긴다고 한다. 시다 못해 쓴 레몬이지만 그 뒤에 오는 상큼함과 개운함이 난 좋다 인생의 레몬도 마찬 가지 일까?

내 인생의 레몬은 뭐가 있었을까? 결혼? 육아? 집안일? 부정적인 생각? 주변에서 들려오는 부정적인 말들? 아직 레몬이 안 생긴 건 아닐까? 힘든 일이 생기면 버릇처럼 '내 인생에 필요한 사건일 거야' '내 선택에 의한 결말이니 어쩌겠어.'라는 생각을 한다.

옛날 방영된 티브이 프로그램 '그래 결심했어!'처럼 다른 선택의 결말을 볼 수는 없지만 내가 원하는 인생에 꼭 필요했던 일이라고 생각하다 보니 쓰디쓴 레몬처럼 느껴지지 않는다. 어쩌면 레몬이 생길 때마다 아무렇지 않은 척 달콤하고 상큼한 레몬에이드로 바꿔 버리는지도 모르겠다. 고민해 봐야 변하는 게 없다는 걸 알기 때문이다.

10~20대 시절에는 경제적인 어려움이 나의 시디신 레몬이었다. 여유롭지 못했던 가정환경에서 자랐고 성인이 되어서는 월급이 들어와도 어디로 가버렸는지 모를 통장만 남았다.

어느 날 나는 돈이 빠져나갈 팔자라는 소리를 들었다. 그때부터였을까? 의문이 들기 시작했다. 진짜일까? 내 사주가 그런가? 인정하고 싶지 않았다. 하지만 열심히 모아보고 아껴도 봤지만 어느새 비어있는 통장만 남아 있었다. 이때 내가 인정하고 포기했다면 지금의 달콤한 꿈을 꾸지 못할 것이다.
네가 이기나 내가 이기나 어디 해보자! 하는 심정으로 제자리걸음 같아도 계속 걸었다. 적금통장 만기까지 넣어보고 잔고도 조금씩 쌓이다 보니 자신감이 생겼다.

'거봐! 내 팔자 돈 모이는 팔자잖아'

항상 돈에 쪼들려 시디신 레몬을 맛봤지만 포기하지 않고 계속 도전하고 생각을 바꾸니 달콤하고 상큼한 레몬에이드를 맛볼 수 있게 되었다

앞으로도 많은 레몬이 생길지 모른다. 하지만 무섭거나 겁나지 않다 맛있는 레몬에이드를 만드는 방법을 배웠으니까

| 나만의 공간

결혼을 하고 일정시간이 지나면 대부분 나만의 공간,
나만의 시간을 갖고 싶어 한다.
결혼 전에는 느끼지 못했던 갈증이다.
결혼이 나쁘다고 얘기하는 것은 아니다. 다만 얻는
것이 있으면 잃는 것도 있다는 것을 얘기할 뿐이다.
한 남자의 아내로 세 아이의 엄마로 하루가 12시간처
럼 짧다.

매일 같이 넘치는 집안일에 나만의 공간으로 피하고
싶고 에너자이저 아이들을 피해 혼자만의 시간이 절
실하다.
물론 여유가 있었으면 집 한편에 마련할 수도 있을

것이다.

하지만 다섯 식구가 살기엔 방 3칸짜리도 부족하다.

넘쳐나는 장난감에 옷까지 공간 여유가 없다.

이런 환경에서 나만의 공간을 만들려고 부단히 노력한다.

온전히 나만을 위한, 방해받지 않는 공간.

나에게는 주방이 그렇다. 아이들이 다가오면 "아뜨 아뜨~"하며 돌려보낸다.

싱크대 정리를 하고 있으면 아이들은 온전히 아빠의 몫이다.

나는 천천히 정리하면서 오랜 시간 이곳에 머문다.

잠시 나만의 시간을 갖기 위해....

처음엔 주방이 편안 장소라고 생각하지 못했다.

여자로서 일만 하는 공간으로 느껴졌다.

가장 오랜 시간을 머무는 곳이라 그런지 이제는 주방이 편하다.

편하게 앉아서 쉬지 않아도 제대로 된 책상 하나 없어도 나만의 공간이니까

| 내가 좋아하는 돈

대부분의 사람들 앞에서 '나는 돈이 좋아!!'라고 얘기하면 '왜 이렇게 돈돈 거려.'라고 쑥덕인다.
하지만 돈을 싫어하는 사람이 있을까? 대부분 아닌 척할 뿐이다.
나는 돈을 좋아한다. 아니 사랑한다.

물론 돈이 넉넉하지 않아도 행복할 수 있다. 돈이 많아도 불행하고 외로운 사람들도 많다.
그런데 정말 돈이 없어봐라. 돈이 많은 것보다 더 불행하고 포기해야 하는 것이 많다.
'너무 돈돈 거리지 마'라고 얘기하는 사람들은 다 어느 정도 먹고 살 만하기 때문에 그렇게 말하는 것이다.

어려서부터 넉넉하지 못한 형편에서 자랐기 때문에 포기해야 하는 것이 많았다.

어린 시절 너무 배우고 싶었던 피아노 학원을 포기해야 했고, 문제집 한번 제대로 사 본적 없이 언니가 쓰던 것을 물려받아 써야 했다.

많은 일을 포기해야 했지만 그중 가장 속이 상한 일은 대학을 포기해야 했을 때다.

내가 가고 싶었던 서울에 있는 대학과 부모님의 의견을 반영한 집과 가까운 대학 두 곳에 입학원서를 넣었다.

대학생이 된다는 기쁨도 있었지만 독립해서 살 수 있다는 희망도 있었다.

그때는 왜 그렇게 부모님과 떨어져 살고 싶었는지 모르겠다.

아르바이트도 하고 친구들과 서울구경도 하고 싶었다.

처음엔 서울에 있는 대학에 합격했다는 소식에 등록금까지 다 넣었는데 집과 가까운 곳도 합격을 하자 부모님이 집에서 다니는 게 어떻겠냐고 말했다.

자취할 방을 구하고 생활비를 지원하기 버겁다고 하셨다. 속상한 마음이었지만 어쩔 수 없었다.

20년이 지난 일이지만 아직도 원망스럽고 속이 상한다.

하지만 이게 부모님의 잘못은 아니다. 엄마 아빠도 어쩔 수 없었고 더 마음이 아팠을 테니까.

조금만 더 넉넉했더라도 보내고 싶으셨을 거다.

문제는 돈이다.

돈 때문에 많은 것을 포기하면서 살아온 나는 돈 때문에 잃는 게 더 많다고 생각한다. 그래서 나는 돈을 좋아한다. 아니 사랑한다.

| 사진의 의미

언니 나 남동생 우리는 삼 남매다.
우리 삼 남매의 어릴 적 앨범을 보면 유독 언니의 사진이 많다. 첫아이, 첫째 딸이었기에 아빠의 사랑을 듬뿍 받았기 때문이다.

아빠는 언니의 어린 시절 순간순간을 모두 사진에 담았다. 첫째이기에 누릴 수 있었던 부모님의 관심. 그런 언니가 나는 부러웠다.
꽉 채워진 언니의 앨범에 비해 반도 채워지지 않은 내 앨범은 초라하기만 했다.

내가 기억 하지 못 했던 어린 시절의 나의 모습이 없

음에 속상했다.
다시는 되돌아갈 수 없는 시간이어서 더 그랬다.

가정 심리학에서 보는 둘째의 특징은 경쟁이라고 한다. 태어날 때부터 형제와 부모의 사랑을 나눠야 하기 때문에 질투심도 많고 끊임없이 경쟁한다고 한다. 그래서일까? 나는 비워져 있는 앨범을 채우고 싶었다.

친구와 사진을 교환하기도 하고 친구들과 사진관에 가서 찍기도 했다. 한때 우정 사진을 찍는 것이 유행이라 인화된 사진을 쉽게 구할 수 있었다.
새로운 친구가 생기고 반이 바뀔 때마다 나의 앨범이 채워졌다. 한 장 한 장 채워질 때마다 부자가 된 것처럼 흐뭇했다.

그때는 추억을 쌓는 거라며 내 감정을 숨겼다.
서운한 마음을 들키고 싶지 않았다.
그렇게 열심히 채웠는데도 결국 내 앨범은 다 채워지지 않았다.
나에게는 부족했던 아빠의 사랑만큼 비워져 있다.
추억이라고 포장했던 사진은 나에겐 아빠의 사랑이었나보다.

| 나에게 꿈이란?

"너는 꿈이 뭐니?" 초등학교 때 많이 받았던 질문이
다.
"너는 꿈도 없니?" 중고등학교 때 많이 받았던 질책
이다.
어린 시절 간호사라는 꿈을 꿨었다. 예쁘고 원더우먼
같이 멋있었다.

내신 성적, 모의고사라는 평가를 보면서 꿈은 이뤄질
수 없는 것이라고 느꼈다.
그렇게 나에게는 꿈 없이 그냥 그런 대학에 그냥 그
런 회사를 다녔다.
적당히 저축하고 생활할 수 있을 정도의 월급이면 되

었다.
꿈이 없어도 불편한 것 없었고, 살아가는데 지장이 없었다.
인생에 꿈이 중요하다고 느끼지 못했다.

하지만 40이 넘은 지금은 꿈을 꾸고 있다. 20대 때는 필요 없던 꿈이 나이를 먹으니 생겼다.
욕심일 수도 있고 욕망일 수도 있다.
해보지도 않고 포기한 젊은 시절 나에게 화가 났다.
조금만 더 열심히 살았으면 좋았을 걸 싶다.

마흔이 넘어 내가 꾸는 꿈은 나와 같은 역경을 겪는 사람에게 도움을 주는 것이다.
경제적으로 어려워서 힘들어하는 사람들의 마음을 위로해 주고 해결 방법을 찾아주고 싶다.
할 줄 아는 게 없다고 자신을 질책하는 사람들에게 꿈을 심어주고 싶다.
12년간 다닌 회사 한 직원이 남편 사업이 기울어지면서 힘들어할 때가 있었다.
나도 똑같은 상황을 겪었던 지라 더 도와주고 싶었다.

생활비를 아끼는 법, 임대 아파트를 통해 집세를 아끼는 방법 등 내가 했던 노하우를 모두 알려줬다.

그때 뿌듯함과 자긍심이 나의 꿈을 만들었다.
이 세상에 필요한 존재로 느껴졌고, 선한 영향력을
줄 수 있다는 희망이 생겼다.

이렇듯 나에게 꿈이란 내가 살아 숨 쉰다는 생명력이
고 희망이다.

| 나는 왜 화가 나는가?

아이를 셋 키우다 보면 하루에도 12번씩 화가 난다.
사춘기 아들은 내가 이해할 수 없는 뇌구조를 갖고
있어 화가 난다.
미운 다섯 살인 둘째는 '내가 할래.'병에 걸려 내 속
을 뒤집는다.
하지만 이 정도는 일도 아니다. 말이 안 트인 막내는
의사소통이 안 돼 답답함에 서로 화를 낸다.
나와 반대의 성격을 가진 남편은 고쳐지지 않아 화가
난다.

애는 셋인데 남편까지 넷을 혼자 키우는 느낌이라 속
이 터진다.

모두 여러 가지 이유를 가지고 나의 화를 부른다.

심호흡 세 번, 참을 인 세 번이면 화가 가라앉는다고 누가 그랬던가?

해봐라 절대 안 된다. 화가 나면 화를 내야 나중에 더 큰 화가 안 나는 것이다.

옛날 어른들의 화병 난다는 말이 이해되지 않았다. 이제 그 말이 왜 생겼는지 나는 안다. 참아서 그런 거다.

나는 절대 참지 못한다. 아니 참고 싶지도 않다.

속이 터져 없던 병도 생길 것이다.

왜 이렇게 화를 낼까 생각했던 적이 있다.

나는 MBTI J인 계획형 인간이다.

그런 사람이 자유분방하고 즉흥적인 아이들을 대하려니 답답하고 이해가 안 돼서 화를 내는 것이다.

남편도 마찬가지다. 하나서부터 열까지 모두 나와 반대인 사람이다.

주도적으로 인생을 꾸려가려는 나와는 너무 다르다 보니 어쩔 땐 한심하게 느껴지기도 한다.

그래서일까? 걱정 없고 해맑은 우리 식구들을 보면 걱정 없이 마냥 행복해한다. 나만 혼자 답답해 화가 난다

| 사춘기 아들 이해하기

어느 날 티브이 속에 나오는 사춘기 아들과 부모의 이야기. 남일 같지 않다.
주관적인 입장에서 부모님이 너무 심한 거 같다.

기 승 전 잔소리, 혼남밖에 없는데 입을 열 수 있는 사람이 얼마나 될까?
내 말은 들어주지도 않고 무조건 '네가 잘못했어!!'라는 답정너를 말해주고 있는데 얼마나 답답할까?
형제간의 다툼 때문에 어머니의 호출을 받고 '누나한테 그렇게 하면 안 돼 우리 집에선 용납할 수 없어!'라고 이미 1차 꾸중을 들었다.
저녁이 되자 퇴근하신 아버지의 호출. '뭐가 불만이

야? 넌 이제 요구하지 마!' 2차 야단.

이 상황을 누가 이해할 수 있을까? 아마 답답해 미쳐
버릴지도 모른다.

생각해 보면 나도 사춘기 때 엄마의 잔소리에 답답했
고 말해봐야 통하지 않으니 입을 꾹 닫았었다.

오해라고 얘기해 봐도 소용이 없고 말해봐야 불편한
대화만 길어질 뿐이었으니까.

이제는 어른이 되어 엄마가 왜 그랬는지 또 나만큼이
나 답답 하셨겠구나. 이해가 되지만 그때는 내 입장
이 더 중요했다. 들어주지 않는다고 생각했다.

방송을 보면서 아차!! 싶었다.

우리는 아들한테 저렇게 대한 적은 없을까?

오해였는데 말은 귀담아듣지 않고 그냥 네가 잘못했
다고 말하진 않았을까?

나랑 대화하고 나서 답답함에 혼자 욕하고 있진 않았
을까? 없진 않을 것이다. 언젠가 한번 혼자 이불 뒤
집어쓰고 울고 있는 모습을 본적이 있다.

나도 엇나가는 시절이 있었고 혼자라는 생각에 외로
워서 울었던 적도 많았는데 왜 자식은 이해를 못 하
는 걸까?

오은영 박사는 말한다. 수직적인 관계가 아닌 수평적

으로 배려해야 한다고.

사춘기 아들을 굴복시키려고 하지 말고 함께 성장하고 이해하려고 노력해야겠다고 생각했다.
엄마로서 말고 사춘기 시절 나를 생각하면 사춘기 아들을 이해하기 쉬울 것이다.

| 나는 왜 글쓰기를 하는가?

나는 왜 글을 쓰고 싶을까? 의미 없는 도전? 남들이 해보라니까 따라서?
그것도 맞지만 내 이야기를 통해 누군가에게 희망을 주고 싶다.

너무 다른 남편을 만나서 힘든 때가 있었다.
성격 급하고 덜렁대는 아내
느림보지만 꼼꼼한 남편
먹는 거에 진심인 아내
허기만 채우면 되는 남편
30년을 다르게 살다가 같이 살게 되니 부딪히는 부분이 많았다.

싸우기도 많이 하고 미워하기도 많이 했다.
시간이 지나면서 점점 심해지는 감정 소비에 지쳐갔고 이럴 바에는 이혼하는 게 낫겠다 싶었다.
하지만 어디 이혼이 말처럼 쉽던가.

그렇게 시작된 상대방 입장에서 생각해 보기
남편 입장에서 생각하고, 남편은 내 감정을 모를 테니 알려주었다.
점점 감정싸움보다 상대방을 이해하려고 노력하면서 부부 싸움에 대처하는 지혜가 생겼다.

주변을 보면 부부 사이에 감정의 골이 깊어져 같이 살지만 행복하지 못한 삶을 사는 아내들을 많이 봤다.
물론 매일같이 불행하진 않겠지만 이런 생활이 10년 20년 지속되면 결국 가장 의지가 돼야 할 황혼에 이혼하게 되는 게 아닐까 싶다.

한때 나와 같은 상황에 놓인 아내들에게 경험을 통해 알게 된 깨달음을 알려주고 싶다.
상대방을 이해하고 이해시키며, 긍정적으로 살면 내가 더 행복하게 살 수 있다는 걸 글을 통해 알려주고 싶다.
그래서 목표 중 하나가 에세이를 출간하는 일이다.

| 엄마와 딸

"누굴 닮아 이러는 거야? "

육아를 하다 보면 아이들의 모습을 보고 종종 내 뱉 게 되는 말이다.

내가 어렸을 때 엄마 아빠도 이런 말을 했던 기억이 있다.
머리로는 도저히 이해가 안 되고 심각할 땐 지능이 떨어지는 게 아닌가 싶기도 하다.

육아 선배인 엄마에게 고민 상담처럼 이런저런 얘기 를 하다 보면 많은 사실을 알게 된다.

나 또한 내 아이와 같은 행동을 했고 엄마도 나처럼 힘들었다는 것을....

어린 시절 나의 행동과 생각이 기억이 안 나는 게 답답할 뿐이다. 생각난다면 내 아이를 누구보다 잘 이해할 수 있을 텐데 말이다.
'그래... 내가 낳은 자식이 누굴 닮았겠냐. 그래도 나보다 심각한 거 같은데?' 싶지만
이건 내가 나의 어릴 적 모습을 기억하지 못하기 때문일 것이다. 답답하지만 어쩔 수 없는 일이다.

나를 닮았다고 하니 '왜 저러는 걸까?'하고 아이의 심리를 파악해 보려고 애를 쓴다.
궁금한 게 많고, 해보고 싶은 게 많은 아이
겁 없고, 하나에 꽂히면 주변엔 아무것도 안 보이는 아이
불안하고 위험해 보여 다그쳐 보지만 그때뿐이다.
뭐 그렇게 하고 싶은 게 많고 보고 싶은 것이 많은 건지...

이미 어른이 된 나는 저 시절 다 경험해 봤기 때문에 알고 있는 거겠지?
나와 같이 몸으로 부딪히면서 세상을 배워가는 거겠지

내 머릿속 지우개처럼 어릴 적 기억이 전혀 떠오르지 않아 아이의 마음은 알 길이 없다
다만, 우리 엄마도 나처럼 많이 답답하고 조마조마한 심정으로 삼 남매를 키웠다는 걸 알게 됐다.

엄마가 되어 보니 엄마의 마음을 알게 되었다. 그래서 부모님이 답답한 마음에 '너 같은 자식 낳아서 키워봐!!'라고 얘기하셨나 보다.
우리 딸도 나처럼 엄마가 되어보면 내 마음을 알게 되겠지? 어른이 되면 엄마를 조금은 이해해 주는 딸이 되겠지?

엄마가 알려주는 쉽고 안전한 길로 가면 좋으련만 너는 그렇게 온몸으로 겪어가며 성장 하나보다.
이런 나의 딸을 보면서 엄마에게 잘해야 하는 이유가 또 하나 추가되었다. 오늘은 잊지 말고 전화 한통 해야겠다.

| 내 인생의 변곡점

생각지도 못했던 셋째 임신. 그래서 태명이 깜짝이다.
첫아이는 이미 손이 안 갈 정도로 키워놨고 둘째 한
명만 잘 키우면 되었다.

그토록 바라던 딸을 얻어서였을까? 셋째는 생각하지
도 않았다.
잠깐 걱정 하긴 했지만 어렵게 둘째를 얻었기에 셋째
가 온 이유가 있겠지 싶었다.

막내딸은 낮잠도 잘 자고 50일 만에 통잠을 자기 시
작했다. 그땐 정말 순둥이였다.
엄마 껌 딱지라는 게 무엇인지 제대로 보여주는 지금

과는 사뭇 달랐다.

이전의 둘과 달라서일까? 시간 여유도 많았고 잠이 부족하지도 않았다.

그러다 보니 하나 둘 할 일을 찾아보기 시작했다.

책도 읽고 경제공부도 하니 나 자신을 찾은 느낌이었다.

<blockquote>

"

애쓰지 않으면 삶이 멈춘다.

40대가 다시 버킷리스트를 써야 하는 이유다

- [김미경의 마흔 수업] 중에서-

"

</blockquote>

'김미경의 마흔 수업' 책을 보면서 40이 되면 나를 성장시키고 싶은 욕구가 생긴다는 내용이 너무 내 이야기 같아서 공감이 갔다.

39살에 막내가 태어나고 10년간 일한 회사에서 잠시 휴식이 생기면서 그동안 새롭게 배울만한 게 없나 찾고 있었다.

우연히 MKYU를 알게 되었고 40이 되는 새해부터 새벽 기상을 시작하였다.

새벽 1~2시간의 여유가 고된 육아에서 벗어나 온전

히 나에게 집중하는 시간이 되었다.

못했던 공부도 하고 책을 읽으면서 더 많은 걸 하고 싶어졌고 이것저것 열심히 배우기 시작했다.

몸은 고됐지만 욕심을 부려 북클럽에 들어가 다양한 책을 읽을 수 있었다.

왜 젊었을 때는 이렇게 열심히 하지 못했을까?

내 인생에 이렇게 열정적이었던 적이 있던가?

아이 셋을 낳고 나니 이제야 하고 싶은 일이 생겼고 목표가 생겼다.

내 나이 41세. 아직 도전하기에 충분한 나이라는 생각도 든다.

2년이 지난 지금 아직 무언가를 이뤄내진 못했지만 꼭 해낼 거라는 희망이 있다.

내 삶에 열정의 씨앗을 가져다준 셋째는 내 인생의 변곡점이다.

| 행복의 출발선

간혹 사람들은 돈이 많으면 행복할 거라고 생각한다.
그럴 수도 있다.
나도 처음엔 부자가 되면 행복할 거라고 생각했다.
지금보다 조금 더 여유로워지면 행복할 거라고 생각
했다.
하지만 현실을 그렇지 않다.

결혼하고 3년. 우연한 기회로 가게 하나를 인수받아
남편과 함께 운영하였다.
처음에는 자신 있었다. 젊었고 잘 알고 있는 분야라
잘 될 거라고 생각했다.
망설이는 남편에게 "망해도 젊었을 때 망하는 게 낳

지"하며 해보라고 했다.

말이 씨가 되어서일까? 정말 1년도 되기 전부터 재정적으로 어려움이 생겼다.

살고 있는 집을 팔아 빚을 갚아야 했고 가게에 달린 단칸방으로 짐을 옮겨야 했다.

번듯한 주택에서 단칸방으로 심을 옮기던 날 나는 불행하지 않았다.

단칸방에서 다시 아파트로 이사할 때도 행복의 크기는 변함없었다.

물론 조금 숨통이 트이는 건 사실이다.

먹고 싶은 걸 먹을 수 있었고, 아이들이 원하는 걸 조금은 해줄 수 있었다.

하지만 이게 단연 돈의 차이 때문만은 아니라고 생각한다.

화장실도 제대로 갖추어지지 않은 단칸방에서도 행복한 날들은 많았다.

다친 아빠의 몸을 치료해 준다며 밴드를 붙여주는 아이의 모습에 미소가 지어졌다.

반찬이라고는 달랑 김치 계란 프라이뿐인 밥을 먹으면서도 웃을 수 있었다.

가게에 달린 좁은 방에 세 식구가 옹기종기 모여 자니 서로 안아주며 토닥여줬다.

함께 웃고 얼굴을 마주할 수 있었던 시간이 그때는
더 많았다.
삶이 여유로워질수록 각자의 방에서 자기만의 방식으
로 휴식을 취한다. 그러다 보니 자연스럽게 얼굴 마
주하는 시간이 줄어들었다.
그렇다고 지금 불행하다는 건 아니다. 돈의 차이가
행복이 크기는 아니라는 걸 말하고 싶을 뿐이다.

행복이란 누군가와 함께 꿈을 꾸고 미래를 그릴 때
생기는 게 아닐까 생각한다.
함께 하는 이가 있고 얼굴 마주하며 웃을 수 있는 가
족이 있기에 행복하다.

내 행복의 출발선은 희망이라는 씨앗을 품고 있던 단
칸방이었다.

| 내 남자는 상극

처음부터 마음에 들지 않았다.
흐트러진 옷차림에 어리숙한 모습이 정말 별로였다.
우리는 각자의 친구 결혼식 피로연에서 만났다.
드라마나 영화에서 나올법한 첫 만남. 하지만 로맨틱
과는 거리가 멀었다.

그 남자와 그 남자의 친구 사이에 무슨 이야기가 오
간 것인지 나와 엮으려고 한다.
결혼 한 친구의 얼굴을 봐서 그냥 좋게 웃으면 넘겼
다.

연락처를 달라고 하는 그 남자.

'번호 하나를 다르게 알려줄까? 전화라도 걸면 곤란한데…'
순간 이런 생각이 들었지만 거짓말은 하지 않기로 했다.

밥을 사준다며 만나자는 연락이 왔다.
한 번 두 번 세 번
무슨 운명의 장난인지. 밥 세 번 먹었을 뿐인데 왜 갑자기 괜찮아 보이는 걸까?
밥을 사줘서일까? 챙겨주고 싶어서일까?
결국 그 남자는 내 남자가 되었고 세 아이의 아빠가 되었다.

우리는 맞는 구석이 하나도 없다.
사람 좋아하는 나 집돌이 너
채소 좋아하는 너 고기 좋아하는 나
성격 급한 나 언제나 느긋한 너
드라마 좋아하는 너 책 좋아하는 나
행동파 나 돌다리도 두드려보자는 너
깔끔하고 정리 잘하는 너 정리해도 정리가 안 되는 나
나열을 하자면 100개도 넘게 쓸 수 있다. 이 정도로 우리는 반대다.

나에게는 없는 모습 때문에 매력적으로 보였을까?
너무 다른 둘이 만나 신혼 3년을 정말 미친 듯이 싸
웠다.

지금은 세월이 지나 서로 다름을 인정하고 평화롭게
지내자 암묵적인 합의를 봤지만 내 남자는 나와 상극
이다.

사랑

느린마음

음식을 짓고 이야기를 만드는 느린마음foodteller
입니다. 밥상에서 몽글몽글 피어나는 이야기에 사
랑을 더하고, 부모님께 받은 사랑을 아이들에게도
찐하게 남기렵니다.

┃ 가장 기특했던 순간 _달님과 마주하는 밤

나 스스로를 처음으로 칭찬해 주고 싶은 기특했던 기억은 둥근달이 뜬 밤이다. 초등학교 5학년 소녀의 기도이다.

그해 가을날 아침 공기는 서늘했다. 아버지는 마당에 펼쳐진 멍석에 앉아 잎담배 손질 중이다. 여러 가지 농사 중 가장 큰 농사는 잎담배이다.

비닐하우스에서 씨앗을 싹 틔워 기른 모종은 비닐 멀칭한 밭에 이식한다. 모종이 어른 키만큼 자라면 아래에서부터 잎담배 1-2잎씩 따다가 새끼줄에 끼워 건조실에 말려야 한다.

건조실은 흙벽돌을 쌓아 지은 정사각형 건물이다. 양쪽 벽에 기다란 막대를 3개씩 고정해 놓고 잎담배 엮은 새끼줄을 3단으로 매달 수 있도록 되어 있다. 건조실 한가득 채운 뒤 문을 꼭 닫고 며칠간 아궁이에 연탄불을 넣어 말린다. 불 조절에 따라 초록색 잎담배는 색이 변하며 마른다. 노랗게 마른 잎의 색 변화에 따라 품질이 달라진다. 가장 좋은 품질은 애기똥풀처럼 노란색으로 건조된 것이다.

색상과 길이별로 구별하여 수매하므로 일일이 수작업으로 분류한다. 구분 작업하는 이유는 높은 가격에 수매하기 위함도 있다. 아버지는 그 가을날 바싹 말린 담뱃잎이 부셔질 새라 수분이 적당한 아침 공기와 함께 마당 멍석에 앉아 담배 손질 중이었다.

나와 언니는 학교 갈 준비로 분주하고, 엄마는 부엌에서 아침 준비 중이다. 그때 마당에서 다급한 엄마의 목소리가 들리고, 옆집 아저씨의 부축을 받으며 아버지가 방으로 들어오신다. 그대로 아버지는 자리에 누웠다. 무슨 일인지도 모른 체 나는 학교를 다녀왔다. 여전히 아버지는 방에 그대로 누워 있었으며, 동네에서 침을 잘 놓는다는 분이 아버지 곁에 앉아 있었다. 그제야 아버지의 심각한 상황을 알게 되었다. 아버지에게 중풍이 찾아온 거다.

아버지는 오른쪽 팔과 오른쪽 다리 사용이 불편해지고, 동시에 발음이 흐려져 잘 알아들을 수 없다. 엄마만 겨우 알아듣는 정도라 우리는 엄마 입만 바라보았다. 하루 이틀 이면 좋아질 줄 알았던 아버지는 13년간 불편한 몸으로 지냈다.

온 가족이 저녁 먹고 둘러앉아 텔레비전 보는 시간에 나는 얼른 아버지 곁으로 다가가, 팔과 다리를 주물러 드리며 나아지기를 바랐다. 내 손이 마술 손이 되어 아프기 전의 아버지 모습으로 돌아오길 바라는 마음이다.

시골의 밤은 칠흑같이 어둡고 서늘하다. 마당 끝에 자리한 변소에 가기 위해 밖으로 나왔다. 가을밤 공기는 꽤 쌀쌀하다. 아버지의 불편해진 몸과 우리 가족의 얼음 같은 마음과 같았다. 나의 슬픈 마음을 어루만져 주는 훤한 보름달이 변소 앞에 떠 있었다. 나도 모르게 달님을 향해 두 손 꼭 모아 합장 기도했다. '달님. 우리 아버지 예전의 모습으로 꼭 되돌려 주세요. 건강한 아버지 되도록 해 주세요' 12살 소녀의 간절한 마음을 달님에게 보낸다.

| 감자탕의 진한 국물에 녹아든 살뜰함.

"엄마 이거 어느 식당에서 사온거야?!"갑작스러운 딸의 문자에 "그렇게 맛있었냐."며 무심한 듯 답장을 보내고 있는 내 가슴이 뜨거워진다. 엄마의 손맛이 느껴졌다는 말이지!

딸이 출산 한 지 2달 가까이 되어간다. 스스로 음식을 해 먹겠다는 딸의 말도 있었고, 나도 바쁘다는 핑계로 음식을 만들어 가져다 줄 여유가 나질 않았다. 스스로 잘 먹고 있다는 말이 기특하지만, 엄마는 뭐든 다 해주고 싶다. 내가 출산하고 친정 엄마의 살뜰한 보살핌을 많이 받지 못했던 것을 전부 해 주고 싶기 때문이다. 그러나 딸은 엄마가 힘들까봐 스스로 해결하려고 하는 편이라 요구사항이 소소하다. 어쩌면 나의 성향을 그대로 물려 받았나보다.

날이 맑은 휴일 오후 산책을 나가면서 마트에 들렀다. 정육코너에 들어서니 맛있어 보이는 고기들이 나의 손길을 기다리는 듯이 그득하다. 그중에 나는 제주흑돼지 등뼈에 손이 간다. 살이 두툼하게 붙어 있어서 김치를 넣고 푹 끓여 감자탕을 만들려고 바로 장바구니에 담았다.

완성될 감자탕을 상상하며 빠르고 분주한 손놀림을 시작한다. 등뼈를 흐르는 물에 20분정도 담궈 핏물이 우러나도록 한다. 냄비에 물, 감초와 말린 생강편을 넣어 팔팔 끓인다. 끓는 물에서 감초의 달큰한 향과 생강의 알싸한 맛이 퍼진다. 핏물이 빠진 뼈를 끓는 물에 넣으니 고기의 붉은색이 변하며 거품이 생긴다. 거품을 걷어내면서 2분 정도 데친 다음, 흐르는 물로 고기에 붙어 있는 불순물을 제거하고 체에 받쳐둔다. 이번에는 커다란 냄비에 물을 넉넉히 부어 불 위에 올린다. 물이 끓기를 기다리며, 묵은지 한 포기 꺼내어 양푼에 담는다. 갓 꺼낸 김장 김치는 침샘을 자극한다. 참을 수 없어 맛있어 보이는 줄기 하나 쭈욱 찢어 고개를 젖히고 아삭 씹어 먹어보는 호사를 누린다.

김치 속을 손으로 대강 훑어 낸다. 아! 아깝다. 김장 담을 때 하나하나 정성들인 속 재료다.

속을 덜어낸 김치에 간 마늘 크게 한 수저, 신맛을 살짝 감춰줄 설탕 톡톡, 들기름 한 수저 넣고 조물조물 무쳐서 잠시 둔다. 감자는 껍질을 벗긴 다음 반으로 잘라 둔다. 그 사이에 팔팔 끓는 물에 밑 손질한 등뼈를 조심스럽게 밀어 넣는다. 센 불에서 삶으면 뽀얀 국물이 우러나온다. 그때 조물조물 무쳐둔 김치를 넣어서 푹 끓인다.

된장을 한 수저 넣어 주면 다른 간이 필요치 않다. 4~50분 끓이고 난 다음 깻순이나 깻잎을 넣고 불을 끈다. 먹기 직전에 들깨 가루 한 수저 넣어 고소함을 더해준다.

잘 끓인 감자탕 절반을 그릇에 옮겨 담는다. 살코기가 많이 붙어 있는 등뼈와 좀 더 부드러운 김치, 맛있어 보이는 감자를 골라 진한 국물과 함께 듬뿍 담는다. 감자탕을 받고, 엄마의 정성을 고스란히 느끼고 알고 있는 딸은 어디서 사 왔냐며 화답으로 나를 힘나게 한다.

나와 감자탕의 첫 만남은 95년 겨울이다. 남편이 교통사고로 입원해 있을 때 시댁 형제들이 병문안을 자주 왔다. 병간호 하는 나를 응원한다고 식사 하러 간

곳에서 감자탕을 처음 접하게 되었다. 살코기만 먹던 나에게는 신선한 메뉴였다. 돼지 뼈와 우거지를 넣고 끓인 것에 감자가 들어 있는 것이다. 고기를 먼저 먹은 후에 감자를 으깨어 밥과 비벼 먹어본 기억은 세상에 이런 맛을 내는 것이 있다는 것에 놀라웠었다.

그 후로 5년의 시간이 흐른 어느 날 옆집에 사는 후배가 감자탕을 집에서 만들어 먹을 수 있는 쉬운 방법을 알려주었다. 잘 익은 김장김치를 푹 끓이기만 하면 되는 참 쉬운 요리로 자리 잡았다. 푹 무른 김치를 길게 쭉 찢어 한 입 크게 먹는 맛, 잘 익은 포슬포슬 감자에서 담백한 맛을 느끼며, 잘 어우러진 국물에 밥, 김, 깻잎이나 미나리 넣어 쓱쓱 볶으면 감자탕 냄비는 바닥을 보인다. 고기와 뼈를 푹 우려낸 국물이 당길 때 해 먹는 음식으로 자리 잡은 우리집 감자탕은 이제 엄마의 손맛을 기억하게 한다.

| 그리움을 전하고 싶은 손맛

나무가 연두 옷을 입고 봄을 재촉하는 비가 내리는 날에는 누군가가 그립고. 그 손맛이 그리워진다.

더위가 막 시작되는 6월이면 가장 먼저 열매를 수확할 수 있는 과실수가 매실이다. 초록 나뭇잎이 무성한 사이사이에 탱글탱글한 알맹이가 빼곡히 숨어서 익어가고 있다. 나무 근처에 가면 상큼하고 푸릇한 향이 내 손길을 기다린다. 손을 내밀어 한 알 따서 자세히 보니, 꽃샘추위를 이겨내려고 솜털 이불을 덮고 있었나 보다.

어릴 적부터 배앓이를 자주 하는 막내를 위해서 올해

는 씨알이 굵은 매실로 장아찌를 담가볼 요량이다.

그해 첫 수확한 매실을 준비한다. 커다란 함지박에 매실을 담고 식초를 한 방울 떨어뜨려 살살 문질러 씻어 건져낸 뒤 소쿠리에서 물기를 말린다. 그사이 준비물을 챙긴다. 매실을 한 땀 한 땀 조각낼 칼, 단맛과 숙성을 도와줄 설탕, 매실의 수분을 살짝 날려줄 굵은소금, 잘 보관할 밀폐용기까지 내놓으면 준비 완료!

수분이 날아간 매실을 6~8등분 하고 매실 살을 발라내어 굵은소금을 솔솔 뿌려 4시간 동안 절인다. 이때 가끔 까불어 수분이 빠지도록 해야 한다. 체에 밭쳐 물기를 빼고 매실과 동량의 설탕을 넣어 2~3일간 가끔 저어 설탕을 녹인다. 그대로 냉장 보관하면 1년이 지나도 오독한 매실장아찌를 즐길 수 있다. 나는 오독오독 매실장아찌를 씹을 때 엄마에게 늘 죄송스러운 마음이 든다. 엄마는 나를 늦둥이로 낳으시고 일찍 치아가 빠져 틀니를 하였으나, 맞질 않는다며 그냥 잇몸으로 사셨다. 이 맛을 엄마에게 보여 드리지 못한다는 생각에 매실이 시어서 눈물 나는 게 아니라 엄마가 그리워 눈물이 난다.

1달 정도 지나면 수분이 빠진 매실이 배배 꼬이듯이

엑기스에 떠 있다. 이때 반드시 엑기스 그대로 냉장 보관한다. 우리 집에서 먹는 방법 몇 가지 소개해본다.

여름날에는 고추장과 참기름 한 방울 넣은 매실 무침 몇 조각 하얀 밥 위에 올리면 매콤 새콤 입맛이 살아난다. 나들이 가려고 김밥을 준비할 때, 매실장아찌를 재료 옆에 나란히 한 줄 넣고 싸면 그 맛이 일품. 소화를 도우니 배앓이 걱정도 없다.

감자가 많이 나오는 하지에는 감자와 계란을 넣어 샌드위치 속을 만들 때 매실을 숭숭 다져 넣는다. 색감도 아삭한 맛도 살아난다. 삼겹살을 구워 먹을 때 마늘 대신 매실장아찌를 고기 위에 올려 먹으면 식후에도 부대낌이 없다. 이렇게 다양하게 먹을 수 있는 매실장아찌를 어서 담는 날이 오기를 손꼽아 기다린다. 이 글을 쓰면서도 입에 침이 고인다.

| 내가 생각하는 가치 있는 삶

햇살 가득 내려앉은 식탁 위에 얹힌 나의 두 손을 내려다본다.

손가락 마디에 굵은 주름과 투박한 손등에 눈길이 머문다. 다시 살포시 손을 들어 한 쪽 눈 찡긋 감고 멀리 보낸다. 손등주름, 푸른색 혈관이 솟아있다.

다른 손으로 손등을 감싸며 문질러 본다. 사르륵 소리를 내며 거칠게 부비는 소리가 귀에 들려온다. 나는 이런 나의 손을 사랑한다. 내 삶의 가치가 들어있는 손이기 때문이다.

여고시절 짝꿍 손가락은 유난히 길고 하얘서 부러웠다. 절친 9명이 우정 반지 만들자는 의견이 모였다. 매일 100원씩 모아 1돈짜리 고리장식이 달린 반지를 나눠 끼었다. 9명 중 내 손가락이 가장 굵었다. 나도 얄쌍한 손가락에 가느다란 반지 쏙 끼고 싶은 마음이 로망으로 남아있다. 그 시절에도 손가락이 튼실했다. 큰 손이 부리움 살 때도 있다. 친구들이 자취방에 놀러 오면 섬세한 칼질로 채친 감자전을 만들어 맛나게 먹기도 했다. 후일 만난 친구의 기억 속에는 내가 만들어준 감자 반찬이 최고로 맛있었다고 이야기한다. 오늘은 그 시절을 생각하며 감자채 반찬 만들어 식탁 위에 올려야겠다.

나는 맛난 음식 보면 식구들 생각이 먼저 난다. 직접 만들어 식탁위에 올리고 싶은 마음도 가득하다. 내가 부엌에서 보내는 시간이 아깝지 않은 이유다. 내가 준비한 식사를 가족이 맛있게 먹고, 건강하게 활동하며, 자신의 위치에서 성실하게 살아가는 사회인이 되도록 하는 것을 나의 임무로 여기고 살아간다. 주방에서 가족을 생각하며 요리하는 일이 내 삶의 가치이다.

남편과 가정을 꾸리면서 식사를 가장 우선으로 생각한 게 나의 삶에 소중한 가치가 되었다. 음식을 만들 때 먹을 사람을 생각하며 즐거운 마음으로 요리하면 음식이 더 맛있어진다. 그러니 어찌 음식에 정성을 다하지 않겠는가. 더 건강한 먹거리를 마련하기 위해 내 손에 물이 마를 날이 없다. 볕 좋은 가을이 오면

월동 대비 참나무 표고버섯과 대추를 직접 말리고, 곶감을 만들고, 생강 청을 담가 두기 등등 가을날은 분주해진다. 가을 하늘이 주는 따사로움을 먹거리에 녹여 말리느라 오늘도 투박한 손이 또 바빠지는 중이다.

나는 가족 사랑이 듬뿍 녹아 든 나의 투박한 손을 사랑한다. 참 애쓰며 살고 있는 두 손 고마워.

| 사이와 틈 _ 손 수 빚은 틈새 사랑

솥뚜껑에서 모락모락 김이 오른다.

조심스럽게 뚜껑을 들어 올리자 눈앞이 뿌옇게 흐려진다. 손부채 만들어 흔들고 눈을 감았다 뜨기를 반복한다.

잘 익은 김장 김치 쫑쫑 썰어 넣은 김치만두, 고기와 부추 듬뿍 넣은 고기만두, 버섯을 더 많이 넣은 버섯만두. 겨울이면 우리 집에서 연례행사처럼 즐기는 메뉴이다.

찜 솥을 들어 식탁 위로 옮긴다. 어느새 모여든 식구들은 접시에 옮겨 담기 무섭게 뜨거운 만두를 집어 들기 바쁘다. 뜨겁다고 호호 입김을 불면서도 쉴 새 없이 집어대니, 찜통 바닥이 금방 드러났다. 그렇게 커다란 찜통이 2번 식탁에 오르고 나서야 식구들은 배가 부른 눈치다.

만두는 모든 식구가 가장 좋아하는 음식이다. 만두피도 밀가루를 직접 반죽하고 밀어서 만든다.

우리 엄마는 메밀가루를 넣은 만두피를 밀고 속을 꼭꼭 눌러 담은 만두를 쪄 주었다. 만두 색이 메밀묵처럼 거무스름하게 생겼으나 소화도 잘되고 뜨거울 때 먹는 맛은 정말 일품이었다.

내가 만두를 만들기 시작한 것은 엄마의 손맛이 그리워서였다. 아이들이 어릴 때 반죽을 쭉쭉 밀고 나면 동그란 모양 찍기는 서로 하겠다고 아우성이었다. 만두를 빚기 시작하면 오리 모양 만두, 눈사람 모양 만두를 빚어 누구의 것이 더 예쁘냐고 묻던 모습이 눈에 선하다. 이젠 다 자라서 엄마보다 더 예쁘고 야무지게 만두를 빚어 찜 솥에 올려놓는다.

지난겨울에는 처음으로 사위와 만두를 함께 빚었다. 만두는 처음 만들어 본다며 쑥스러운 듯 웃으며 빚는 손놀림이 또 다른 기쁨을 안겨주었다. 사위는 한 입 크게 먹으며 엄지손가락을 치켜세웠다. 이제는 겨울마다 더 많은 만두를 빚어야 한다. 사위를 가족으로 맞이한 후, 우리 식구와 빨리 가까워질 수 있도록 집에 올 때마다 내가 잘 하는 음식, 사위가 좋아하는 음식, 계절에 맞는 음식 등으로 틈을 메우기 위해 최선을 다했다고 자부할 수 있다.
그 덕에 지금은 편안한 우리 식구가 되어 잘 지내고 있다.

문득 나는 우리 아이들에게 어떤 만두의 추억으로 남을지 궁금해진다. 부엌에 서있는 시간이 길어도 힘들지 않은 것은 잘 빚어진 만두처럼 우리 가족에 대해 영글어 가는 사랑 덕분일 것이다.

| 아련한 추억

"추억이란,
색이 바래지 않는 진한 기억. 지난 일은 처음엔 다 기억이라는 이름으로 머리에 저장되지만, 시간이 흐르면 기억의 아주 일부는 추억이라는 진한 이름을 얻고 머리에서 가슴으로 자리를 옮긴다. 기억은 머리가 하고 추억은 가슴이 한다."카피라이터 정철의 [생각 사전]

내 가슴에 자리하고 있는 추억을 기억으로 잠시 자리를 옮겨보자.

보리밥이 맛있어지는 계절이면 먹고 싶어지는 탕이 있다. 커다란 무쇠 솥에서 용솟음치듯이 끓고 있는

탕을 생각하면 아련함과 따뜻함이 머리와 가슴으로 다가온다. 한 솥 그득하게 끓여 두고 한 뚝배기씩 먹을 때 흐르는 땀방울이 시원하다. 아련한 음식은 바로 추어탕이다.

나의 가슴속 추어탕은 신혼시절로 돌아간다. 여름 해가 길게 드리워진 날 퇴근하는 남편이 싱글벙글 웃으며 이야기한다. "논에 가서 미꾸라지 잡아 올게!" 파란색 양동이 들고 나섰던 남편이 한 시간 정도 지나 이웃 3명과 집으로 들어선다. 양동이에는 미꾸라지들이 힘차게 돌고 있다. 진흙 속에서 나왔으니 부끄러운 걸까?, 진흙이 그리운 걸까? 큰 것 작은 것 합쳐도 한 그릇 정도이다. 난생처음으로 추어탕이란 걸 끓여 보기로 한다.

부엌에 있는 살림살이 중 가장 큰 냄비에 참기름 휘리릭 두르고 씻어 놓은 미꾸라지 넣어 자글자글 볶은 다음 넉넉하게 물 부어준다. 눌러 붙지 않도록 냄비 바닥까지 박박 저어야 한다. 보글보글 거품 내며 익어가는 동안 떠오르는 거품을 걷어낸다.

푹 끓인 미꾸라지를 믹서기에 곱게 갈아 체에 걸러 뼈는 추려낸다. 그날은 호박 넝쿨에서 갓 따온 호박잎에 굵은 소금 뿌려 빠락빠락 주물러 호박잎의 억센

털과 초록색 물을 뺀 다음 숭숭 잘라 넣고, 부추와 깻잎 듬뿍 넣어 팔팔 끓여 완성했다. 된장 풀어 간을 맞추면서 한 숟가락씩 먹어보느라 배가 부를 정도였다. 갓 잡아온 것이고, 무얼 먹어도 맛있는 이웃들과 둘러앉아 한 그릇씩 뚝딱 비웠다.

처음 살림 시작하면서 알게 된 이웃, 논에서 직접 잡아온 미꾸라지, 처음 시도해 본 새댁 요리, 삼박자가 딱딱 들어맞은 그 날의 조화로 추어탕에 대한 아름다운 기억만 남아있다. 오늘따라 유난히 연기리 2층 신혼집이 아련하게 그리운 날이다.

| 아름다운 선율과 접속되다

초등학교 과학 시간 건전지에 전구 단자를 연결하면
불이 번쩍 들어오는 실험을 한다. 환하게 들어온 불
빛에 환호성을 지른다. 지금도 환하던 불빛이 아른거
리며 그날의 설렘이 남아있다. 어린 시절 설렘의 불
빛이 새삼 떠오르며 요즘 내가 어디와 연결되어 있는
지 생각해 본다.

갑자기 많아진 공부 친구들과 바쁘게 지내는 시간,
새로운 일터와 새로운 사람들의 만남. 갑자기 결성된
초등 친구들과 운동모임. 악기에 대한 로망을 채워줄
우쿨렐레 앙상블팀 합류 등 새로운 도전과 시도가 많
다.

그중에 목재와 줄이 만나 만드는 통통 튀는 소리의 울림이 좋아 호기심으로 시작한 우쿨렐레와의 인연이 좋다. 새로운 만남 중에 악기로 기쁨을 선물해 주는 앙상블팀과의 접속을 이야기하련다. 악기도 없이 신청한 수업에서 처음 잡아본 자그마한 붉은 오크색 우쿨렐레는 나의 품에 쏙 들어와 설렘을 안겨줬다. 오른손은 국기에 대한 경례 자세를 하고, 왼 손바닥에 악기를 올려 둔다. 우쿨렐레 운지법을 익히기 위해 수업이 끝나면 매일 1시간씩 연습하며 나만의 아름다운 소리를 찾으려 한다. 손가락이 마음대로 움직이지 않으며, 우쿨렐레의 통통 튀는 맑은 음색을 내기는 여전히 어렵다.

내 손가락이 머릿속 생각과 따로 움직이는 게 난감하다. 발로 박자 맞추며 연주하기 어려워 내가 박치라는 걸 알았다. 일 못하는 목수가 연장 탓을 한다고 했던가! 바로 나를 두고 하는 말이다. 아름다운 소리로 연주하고 싶어 악기를 바꾸었다. 나의 수입으로 바꾼 악기에 애정을 크게 가지며 더 노력하는 중이다. 맑음 음색 내기 힘들어하는 모습을 본 선생님이 칭찬하며, 더 힘을 내도록 격려해 준다. 아이처럼 선생님의 칭찬에 힘입어 한 고비 한 고비 넘어가고 있다. 조금 연습이 덜 되어도 함께 하는 단원들 만나러

나가게 된다.

수업 마치고 함께 식사하고, 차 마시는 시간이 왜 그리 달콤하던지. 이들의 응원으로 또 용기 내어본다. 나는 음악 진공지도 아니며, 배운지 이제 5년째, 이렇게 편안하고 행복한 앙상블팀을 만난 것은 나에게 행운이다. 첫 봄 음악회 무대에서 설렘이 어릴 적 전구 불빛만큼 가슴 한 켠을 차지하고 있다.

첫 공연 후 주변인의 칭찬이 자그마한 불쏘시개가 되었다. 지금까지 봄 음악회, 가을 음악회, 송년 음악회 등 여러 무대에 서면서 관객에게 행복함을 선사하고자 하는 마음이 더욱 단단해졌다. 우쿨렐레 앙상블팀과 음악을 통해서 많은 사람들과 접속하며 나이 들어가는 꿈이 현실에서 이루어지길 소망한다.

| 인생에서 가장 소중한 주제 - 개인의 행복

인생이란 사람의 삶이라고 생각하고 있다. 카피라이터 정철의 「사람사전」에 '인생은 발자국을 남기고 가는 것, 얼마나 많은 발자국을 찍었는지는 중요하지 않다. 중요한 건 발자국의 깊이다'라는 말이 있다. 지금까지 살아오며 죽음과 태어남을 보면서 개인의 행복을 가장 소중하게 생각한다. 왜냐면 내가 행복해야 주변이 모두 행복하기 때문이다. 타인이 들으면 이기적인 생각이라고 할 수 있다. 나는 30대 초반에 커다란 교통사고를 겪었다. 그때부터 나는 이기적으로 살기로 했다. 나의 이기심이 생겨나면서 돌이키고 싶지 않은 상황을 잘 극복했다.

슬픔을 이겨내는데 주변인이 보내는 다독임도 물론 도움이 되었지만, 그 보다 더 크게 작용을 했던 건 나의 사랑하는 어린 두 아이였다. 내가 얼른 회복해야 아이들이 잘 살수 있다는 강한 신념으로 식사와 치료에 전념 하였다.

얼굴과 치아를 많이 다친 상태라 식사하기 힘든 상황이었다. 그러나 아이들 생각에 밥을 수저로 밀어 넣으며 회복에 전념했다. 주변에서 보내는 격려의 말보다 아이들을 생각하는 내 힘이 크게 작용했다. 병원 생활 3주 만에 퇴원 하고 집으로 돌아왔다. 나를 위로하던 모든 이들이 슬픔에 빠져 있을 것이라고 생각했는데 돌아와 보니 나만의 착각이었다. 난 세상이 무너진 슬픔이었건만, 남들은 일상을 그대로 평온히 살고 있는 게 아닌가. 아!! 이제 슬픔은 나의 몫이구나! 이젠 내가 이겨내야 한다! 굳은 마음이 내 안으로 들어왔다. 누구에게 의지하지 않고 내가 이겨내리라.

갑자기 변한 내 모습에 아이들은 놀라지 않고 잘 지내줬다. 아픔만큼 성장한다고 했다. 엄마의 빈자리를 자신들이 성장하는 계기로 만든 아이들이 고맙고 기특하다.

무너지는 듯한 아픔도 시간이 지나며 희미해지고 옅

어지니 한 편으로는 감사하다. 커다란 아픔을 겪으며 나는 나의 행복을 가장 커다랗고 중요한 것으로 여기며 살아가게 되었다. 내 개인의 행복을 생각하며 살아가니 아이들도 고마워한다.

아이들에게도 본인을 항상 먼저 생각하라고 당부해둔다. 내 마음이 평온할 때 주변에 나의 웃음을 선물할 수 있음을 항상 기억해야 한다. 힘들어 하는 주변인에게 본인 행복을 먼저 생각하라고 신신당부한다. 개인의 행복은 가정의 행복이며, 국가의 행복이다.

| 인생에서 가장 후회되는 순간

그때 그렇게 할 걸! 그때 그러지 말걸! 그때 좀 더 잘 해 줄걸!

그런 생각이 들 때 나는 후회라는 단어를 생각하게 된다. 뒤돌아 갈 수 없음을 알면서 자책하고, 혼자 나를 원망하면서 말이다.

50년 넘겨 살아오며 마음속에 가장 많이 남아있는 후회를 글로 남겨 보려고 한다.

언제나 내 마음속에 포근하게 자리하고 있는 엄마! 길지도 짧지도 않은 89세의 생을 살면서 자신을 위해 행동하는 모습을 기억할 수가 없다. 엄마를 떠 올리면 가장 먼저 떠오르는 건 엄마의 강한 생활력과 책임감이다. 아버지가 편찮으실 때 그 작은 몸집으로 집안 농사일하던 모습에 처음으로 엄마의 강인함을 느꼈다. 아버지가 회복되고 몇 년 후 다시 중풍으로 오른쪽 팔다리의 움직임이 불편하실 때에도 아버지의 수족이 되어 아버지와 함께 했다.

노년엔 하나뿐인 아들 고생한다고 작은 체구로 농사일을 도와야 한다며 몸을 쉬질 않았다. 85년간 타인을 위한 삶을 살다 보니 이제는 당신의 삶을 온전히 살고 싶으셨나 보다. 모두가 염려하는 엄마만의 세상 속으로 들어가신다. 바로 치매가 온 거다. 모두가 바쁘게 일을 하고 있으면, 뒷밭으로 나가 풀을 뜯어다가 나물 반찬 해 놓으시는 날이 많아지기 시작했다. 물론 모두가 먹을 수 없는 풀이었다.

그 무렵 전업주부였던 나는 직업을 찾아 일을 다니며 방송대 유아 교육과에서 공부를 시작했다. 주중에는 일에 열성을 다하고, 주말이면 공부하며 바쁜 시간을 보내고 있었다. 그러다 문득 내가 왜 이러고 있지? 엄마는 지금쯤 힘든 시간이실 텐데. 더 정확히 말하면 바쁜 농사철에 엄마에게 신경을 써 줄 여유가 있을까? 엄마를 내가 모시고 오고 싶다는 생각이 가득

했다. 일을 그만두고 엄마에게 가고 싶어도 아직 초등학생, 중학생 아이들이 집에 있으니 그럴 수도 없는 형편이었다. 매일 출근길에 고민만 하다가 시간이 금세 흘러갔다. 엄마는 나에게 많은 시간을 허락하지 않으시고, 자신만의 삶을 사시다가 '잠자듯이 가면 좋겠다.'라는 엄마의 소원대로 그렇게 세상과 이별을 하셨다.

그때 상황이 어떠했던들 엄마를 집에서 좀 모시고 있을 걸 하는 것이 지금까지 살면서 가장 후회되는 일이다.

| 지혜의 길

하얀 눈 위에 구두 발자국~~~ 노래 부르면 마음이
뽀얘지는 느낌이다.

내 노래 속 하얀 눈길은 결혼 이후에 생겨나기 시작
했다. 어렴풋이 드러나기 시작한 길이 몇 십 년 만에
나에게 신작로가 되고 있다. 어른에 대한 예의범절을
중시하며 가부장적인 집안의 분위기 속에서 자란 나
는 타인의 입장을 먼저 생각하고, 내 생각은 내보이
지 않다가, 불편한 부분은 버럭이라는 감정으로 풀어
내는 경향이 있었다. 나의 타고난 기질일 수 있고,
교육받지 않은 것도 있으리라 생각한다. 편안하고 자
유로운 분위기 속에서 자란 남편은 생활하며 자신의
불편한 감정을 겉으로 드러내 보이지 않으며, 한결같

은 마음으로 사람을 편안하게 해 준다.

큰 아이 6개월 무렵 함께 외출했을 때 일이다. 남편과 아이는 차에서 기다리고 난 볼일을 보러 나갔다. 나는 물건을 볼 때 단번에 구입할 때도 있으나, 비교하며 꼼꼼히 보는 경향이 있다. 그날도 찬찬히 이것저것 둘러보다 시간이 많이 지났다. 아차 하며 얼른 차로 돌아왔을 때 남편은 아이와 잘 놀고 있다. 왜 이리 늦었냐는 말이 나올 줄 알고 눈치를 살폈다. 그런데 웬걸 남편은 볼일 다 봤냐며 천천히 보고와도 된다며 나를 편안하게 대해 주었다. 아뿔싸! 나라면 왜 이리 늦었냐고 버럭 화를 냈을 법한데 이렇게 편안하게 대해 주는 사람도 있구나 하는 안도감을 처음으로 찐하게 느꼈다.

아이들 키울 때에도 나는 마음이 급해서 서두르거나, 얼른 해결하고 싶은 마음에 아이의 감정을 알아채지 못하고 잔소리를 하거나, 내가 해결할 때도 많았다. 하지만 남편은 언제나 아이들에게 찬찬하게 대하며 아이들의 감정을 먼저 읽어주고 기다려 주는 편이었다. 아이들은 아빠에게 편안함을 느껴, 엄마가 감정적으로 나올 법한 이야기는 아빠와 상의를 하기도 했다.

30여 년을 함께 지내 오면서 나도 이제는 아이들에게 편안한 길을 내주는 엄마로 성장하는 중이다. 내 곁에서 한결같고 편안한 자리를 지켜줌으로써, 타인을 이해하면서도 내가 불편한 마음을 쓰지 않도록 새하얀 눈 위에 발자국을 점차 크고 진하게 내어주는 남편의 뒤를 따라 나의 얕은 발자국을 내는 중이다. 내 발자국 길이 엉뚱한 방향으로 났다면 나를 따라올 아이들의 길도 엉뚱하게 갔을 것이라는 생각에 때로는 아찔하다.

나는 지혜롭고 현명한 어른의 길을 만들어 가고 있는 중이다. 나는 이 길을 지혜의 길로 명명하련다.

| 찰나의 공간을 느끼다

공간이라고 하면 넓은 곳을 생각하게 된다. 나에겐 크기를 가늠할 수 없는 찰나의 공간이 있다. 바로 가슴과 가슴이 맞닿은 사이 느끼는 공간이다.

나는 자라는 동안 예의범절을 중요시 여기는 엄한 분위기 속에서 자라왔다. 늦둥이로 태어나 두 살 터울의 언니와 친하게 생활하며 청소년기를 보냈다. 언니의 전폭적인 지지와 보살핌으로 살았다는 표현이 더적당할 것이다. 부모님은 농사지으며 바쁜 나날을 살아내셨고, 자녀들이 건강하게 잘 자라 좋은 배우자를 만나 결혼하는 것으로 만족하신 편이다. 내가 철이들었을 땐 이미 엄마 아버지는 환갑이 넘으셨다.

우리 집은 토닥이며 안아주고, 사랑한다는 표현을 몸으로 하는 분위기는 아니었다. 익숙한 듯 나도 그렇게 지내며, 연애 시절 남자친구의 "사랑해!"라는 전화기 너머의 소리는 달콤했다. 한편으로는 어색하고 어찌 받아 들여야 할지 쑥스러운 기분이 들게 했다. 나에게 달콤한 사랑을 알려준 남자와 결혼을 하니 그의 식구들 역시 달콤한 분위기였다. 편안하고 따뜻해 보이는 가정이라 선택한 결혼이다.

신혼 시절 처음으로 시어머니는 기차 타고, 버스 타고 우리 집으로 오셨다. 현관에 들어서면서 두 팔 벌려 나를 덥석 안았다. 난 얼마나 뻣뻣했을까 생각만 해도 화끈거린다. "아가 잘 있었냐!"꽉 안으며 안부를 묻는 시어머니와 며느리 사이에 빈 공간은 존재하지 않았다. 평생 잊을 수 없는 찰나의 공간은 어떠한 어려움도 따뜻한 마음으로 살아갈 힘을 내게 해주었다. 누구를 안아주는 것이 어색했던 나도 이제는 쉽게 두 팔 벌려 나의 따뜻한 공간을 내어 줄 수 있는 사람이 되어 있다.

누군가도 나의 찰나의 공간에서 세상을 살아갈 따뜻한 기운을 느끼기를 바라는 마음 가득이다. 아침에 일어나면 가족들을 꽉 안아 밤새 충전된 내 온도를 전달하는 것으로 하루를 시작한다.

"잘 잤니?"

| 행복의 출발선 _ 졸업식과 찹스테이크

바람이 차갑게 부는 2월의 아침이다.

뽀얗게 화장하고 머리는 고데기로 빙그그를 돌려 굽실굽실한 컬을 만들며 분주한 시간이다.

직접 고른 원피스를 입고 거울 앞에서 이리저리 몸을 돌려 옷맵시를 확인한다. 높은 하이힐도 하나 장만했다. 처음 신어보는 굽 높은 신발이 불편할 수도 있는데 옷과 잘 어울린다. 갓 지은 밥과 뜨끈한 된장국으로 밥상 차려놓고, 나는 옆에서 치장하는 딸 모습을 보고 있으니 참 기특하고 언제 저렇게 훌쩍 자랐는지 뿌듯함이 그득했다. 동시에 드는 생각은 이제

나의 기본적인 의무는 끝나는구나! 이다. 가장으로 아이들 교육시킨다고 힘들었을 남편에게도 참 고생이 많았다고 말을 건네며 얼굴을 마주보게 되었다. 평소 표현을 많이 하지 않는 남편도 "그렇게 이제 공부는 끝났네!"라며 미소 짓는다.

수험생 시절 피곤해 하는 몸으로 아침에 가방 메고 학교 가는 뒷모습이 어찌나 애틋하게 느껴지는지. 안아주고 뽀뽀해줘도 뒷모습이 짠한 건 내 마음의 여유가 생겨서 막내의 뒷모습을 보게 되어서다. 아마 그런 뒷모습을 나는 계속 기억을 하겠지.

그런 짠한 감정을 가지게 한 아이가 오늘 졸업을 한다고 하니 속이 시원하면서도 아쉬움이 든다. 온 가족이 나갈 채비에 한참이다. 다른 두 아이도 각자 생활하고 있는 곳에서 졸업식 참석하려고 준비 중 이라는 문자가 날아온다. 졸업식장에서 다 같이 만나기로 하고 출발!

코로나 이후 처음으로 진행되는 대면 졸업식.

학교에 들어서니 가족단위로 차에서 많은 사람들이 내린다. 익숙했을 풍경들이 오랜만이라 그런지 왠지 낯선 풍경처럼 다가왔다. 졸업식 마치고 마련된 포토

존에서 찰칵찰칵!!! 며칠간 뿌옇던 하늘이 오늘은 막내둥이 졸업을 축하라도 해주듯이 파란하늘 배경을 선물해 줘서 예쁜 모습을 많이 남겼다. 엄마 아빠도 애썼다고 학사모 쓰고 한 컷씩 사진을 남겨본다.

"그간 공부한다고 애썼다 막내야! 하고 싶은 일 하면서 행복하게 잘 살아가거라~"

졸업식엔 꽃길이 펼쳐지라고 여기저기 축하의 꽃다발이 만개했고, 우리도 꽃다발을 준비했다. 많은 축하 꽃다발 속에 유난히 초록 초록한 채소바구니를 보고 "와우" 감탄하며 한바탕 웃었다. 신박한 아이디어에 엄지 척! 화분 속에 전단지로 감싼 싱싱한 야채들. 버릴 것이 없는 예쁜 채소 바구니에 축하의 마음 가득 느껴졌다. 요즘 환경 생각해서 쓰레기를 줄여야 하는데 고마운 선물이다.

야채 바구니를 보고 떠오른 음식이 있으니 색 고운 야채를 넣은 찹스테이크로 기억에 남는 졸업선물 밥상을 차려야지! 선물 받은 야채와 좋아하는 고기가 있는 찹스테이크 먹으며 오순도순 이야기 나누자. 이렇게 나는 오늘도 막내와 추억을 또 하나 쌓아간다. 엄마에게는 언제나 애기인 막둥이 졸업 축하해. 너의 행복 출발선에 엄마도 서 있단다.

에필로그

이번 책을 출간하면서 애써 들추려고 하지 않았던
나의 내면을 통해 한 뼘 성장할 수 있는
시간이었습니다.

추억을 꺼내보며 주변의 소중함을 다시 한 번
느꼈고, 엄마, 아빠의 사랑이 내 삶에 얼마나 큰
버팀목이 되었는지 깨달았습니다.
이제는 꿈을 위해 한 발짝 나아가
행복한 미래를 꿈꿔봅니다.

이 책은 추억을 통해 가족의 소중함을 일깨워 주신
굿맘자리님, 꿈을 포기하지 않기 위해 부단히
노력하는 그로우마마, 엄마 사랑이 고스란히
느껴지는 맛있는 이야기를 해주신 느린마음님
글쓰기를 통해 진정한 행복을 찾은
책읽는소소님과 함께 하였습니다.

당신의
추억, 꿈, 사랑 그리고
행복을 기원합니다.

- 그로우마마-

책읽는소소 : https://blog.naver.com/sosobook_history
굿맘자리 : https://blog.naver.com/kwon411
그로우마마 : https://blog.naver.com/chups28
느린마음 : https://blog.naver.com/smile211004